la maison
en danger

Castor Poche
Collection animée par
François Faucher et Martine Lang

Titre original :

THE BEARS' HOUSE

Pour les grand-mères,
Sara So So et Nellie,
Avec toute mon affection

Une production de l'Atelier du Père Castor

MARILYN SACHS

la maison
en danger

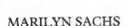

traduit de l'américain par
ROSE-MARIE VASSALLO

illustrations de
BÉATRICE SAVIGNAC

Castor Poche Flammarion

Marilyn Sachs, l'auteur, est née à New York. Elle s'est occupée pendant une dizaine d'années de la section « Livres pour enfants et adolescents » à la bibliothèque municipale de Brooklyn, avant d'exercer la même fonction à l'autre bout des États-Unis, à San Francisco en Californie où elle vit avec son mari sculpteur et leurs deux enfants. Aujourd'hui, Marilyn Sachs se consacre entièrement à son métier d'écrivain. Les nombreux livres qu'elle a écrits ont recueilli toutes sortes de récompenses et surtout un franc succès auprès de son public de jeunes lecteurs.

« Je venais tout juste d'apprendre à lire, dit-elle, lorsque j'ai décidé de devenir écrivain. Les livres m'apportaient un tel plaisir ! La plupart d'entre eux sont nés de mes propres expériences ou de celles de mon entourage. »

Aux États-Unis, *La maison en danger* fait déjà figure de classique de la littérature enfantine. Sous la pression de ses lecteurs, mais plus encore parce que le défi la tentait et qu'elle s'était attachée à ses personnages, Marilyn Sachs vient de doter cet ouvrage d'une suite — qui est bien plus qu'une simple suite : *La maison retrouvée* (Castor Poche à paraître).

Du même auteur, dans la collection Castor Poche :

Du soleil sur la joue, n° 7.

Une difficile amitié, n° 28.

Le Livre de Dorrie, n° 57.

Prochain Rendez-vous dans le pot de fleurs, n° 143.

Chien perdu, n° 226.

La maison retrouvée n° 313.

Rose-Marie Vassallo, la traductrice, avoue sa profonde admiration pour l'auteur.

« Il fallait être Marilyn Sachs pour brosser un tableautin aussi fort, aussi mordant, avec autant de doigté, d'humour et finalement d'optimisme. Pas une once de mièvrerie ou de misérabilisme dans ce récit. Pas un cliché non plus. Gageons que les lecteurs n'oublieront pas de sitôt l'héroïne de cette histoire déchirée entre enfance et monde adulte, et qui ne manque pas de volonté malgré ce pouce qu'elle suce et ses airs de chien battu. Pas plus qu'ils n'oublieront la vieille institutrice à cheval sur ses principes, à la fois admirable et comique, et comme Fran Ellen étrangement attachante. »

Béatrice Savignac, l'illustratrice, est atteinte depuis son plus jeune âge d'une véritable boulimie de livres et particulièrement de livres avec des images. Alors créer à son tour des images pour les livres, quel plaisir !

Après avoir goûté à la vie parisienne pendant douze ans, elle habite maintenant à Compiègne, à proximité de la forêt, et partage son temps entre ses deux enfants, son mari et l'illustration.

La maison en danger

La Maison des Ours, Fran Ellen l'adore. C'est une maison de poupée au fond de la classe, avec de vraies vitres, des meubles minuscules, des tapis. Quand on a fini son travail le premier, on a le droit de jouer avec. Mais la maîtresse, qui prend sa retraite, a dit que le soir des vacances elle donnerait cette maison à l'élève le plus méritant. Et Fran Ellen sait bien que ce ne sera pas elle : elle suce encore son pouce — à dix ans ! — et d'ailleurs personne ne l'aime.

Pourtant, à la maison, la vraie, rien ne va plus. Maman est malade, et la toute petite sœur, le bébé dont Fran Ellen s'occupe, ne va pas fort non plus. Avec une volonté farouche, Fran Ellen va tenter de faire face à la menace qui pèse sur ses deux maisons...

Un mot de l'auteur

L'année de mes neuf ans, ma mère a été victime d'un très grave accident. Conduite à l'hôpital, elle y est restée près d'une année. Cette année-là, pour moi, tout est allé de travers. Tout. Je n'ai gardé le souvenir que d'une unique joie, une source de joie plutôt : une institutrice, percevant ma détresse, m'a offert une maison de poupée — ma bouée de sauvetage.

Devenue adulte, et auteur, j'ai voulu raconter cette histoire. Je m'y suis essayée des années. Je l'ai écrite et réécrite. En vain. Je n'arrivais à rien. Je m'y prenais de cent façons et ce n'était jamais bon. Jusqu'au jour où une petite fille est venue me rendre visite en pensée. Ce n'était pas moi à neuf ans, sa famille n'était pas la mienne, son histoire n'avait rien à voir avec la mienne. Mais les joies qu'elle tirait de sa Maison des Ours étaient aussi profondes, aussi vives que dans mon souvenir.

Marilyn Sachs

Janvier

Dans ma classe, tout le monde sait mon nom.

Je m'appelle Fran* Ellen. Fran Ellen Smith. J'ai neuf ans trois-quarts, je suce encore mon pouce, et les autres disent que c'est dégoûtant et que ça sent mauvais. (Moi, je la connais, mon odeur. C'est une odeur de pouce mouillé. Ce n'est même pas vrai que ça sent mauvais ; c'est mon odeur.)

Ils connaissent tous mon nom, mais en réalité ils ne savent rien de moi. Surtout pas mon secret. Le secret de la Maison des Ours. Ils ne sauront jamais. Personne ne saura.

* Prononcer Frann.

La Maison des Ours est sur une table au fond de la classe. C'est le père de la maîtresse qui l'avait faite pour elle, il y a très longtemps, quand elle était petite. La maîtresse, c'est Miss Thompson. Sauf qu'elle s'appelait Blanche, en ce temps-là. Et bien sûr elle n'était pas du tout comme elle est maintenant. Je le sais, parce que dans la maison, tout au fond, au-dessus de la cheminée, il y a une image minuscule (un portrait, comme dit la maîtresse) dans un petit cadre doré, et c'est une fille de mon âge avec des longues boucles en tire-bouchon. Dessous, il y a écrit LA MAISON DE BLANCHE, et le portrait, c'est celui de Blanche — Miss Thompson quand elle était petite.

Seulement, ce n'est plus la maison de Blanche. C'est la mienne. C'est mon portrait qui devrait être là, au-dessus de la cheminée. Et sur la plaque, il devrait y avoir : LA MAISON DE FRAN ELLEN. C'est la maison des trois ours aussi, bien sûr, puisqu'ils y habitent. C'est notre maison à nous quatre. Les trois ours et moi. Et personne d'autre.

Pour le moment, ils sont dehors, les ours. Ils grimpent les marches de l'entrée. Ils sont en porcelaine, la maîtresse dit, il ne faut surtout pas les faire tomber. Ils sont marron clair, et leur fourrure brille, et ils ont le museau qui rit. Oh ! ils ne riront pas, tout à l'heure, quand ils vont voir Boucle d'Or dans le lit du bébé.

Parce qu'elle est là elle aussi, toute petite et rose, avec des cheveux peints en jaune, tout durs. Elle a les yeux qui s'ouvrent et qui se ferment, des yeux bleus. Pour le moment, ils sont fermés, parce qu'elle dort dans le lit de Bébé Ours.

Dans cette maison, c'est le père de Miss Thompson qui a tout fabriqué — les murs, le toit, les meubles, tout. Sauf les rideaux et les dessus-de-lit, les tapis et les coussins, parce que ça, c'est sa mère qui les a cousus. Il n'y a que les ours et Boucle d'or qu'ils n'ont pas faits eux-mêmes. A l'époque, Miss Thompson dit, les parents s'occupaient de leurs enfants et les enfants étaient bien élevés, bien tenus. L'époque, elle aime en parler, Miss Thompson. Parce qu'à l'époque les gens étaient sérieux et polis, surtout avec les maîtresses.

Il y a déjà plus de trente ans qu'elle enseigne ici, elle dit, dans cette école, et même à l'époque les enfants étaient plus sérieux et plus polis qu'aujourd'hui. Tout était mieux, d'après elle.

Et moi je sais qu'elle a raison ; ça se voit à la Maison des Ours. Si les enfants avaient des pères qui leur faisaient des jouets comme ça, c'est bien la preuve que c'était mieux.

La Maison des Ours a trois pièces, deux en bas et une en haut. Elle est tout ouverte à l'arrière pour qu'on puisse toucher dedans. En bas, c'est la cuisine et le séjour, en haut la chambre, une grande grande chambre.

A la porte d'entrée, il y a un petit marteau pour frapper, comme dans les maisons très vieilles, et un minuscule paillasson avec BIENVENUE écrit dessus. Toutes les fenêtres ont des carreaux, des vraies vitres en verre, et elles s'ouvrent comme des vraies. Miss Thompson dit que jamais, jamais personne n'a cassé un carreau, et que c'est parce que son père s'était donné un mal fou à tout bien ajuster, tout bien clouer, coller. Un travail d'horloger, elle explique, et c'est pour ça que depuis trente ans que la Maison des Ours est là, dans la salle 7, depuis trente ans que les élèves jouent avec, il n'y a même pas eu un carreau cassé.

Peut-être. Peut-être que c'est, comme elle dit, parce que son père avait fait du beau travail. Mais moi je pense que c'est aussi parce que les élèves font rudement attention, avec. Parce qu'ils l'aiment bien, cette maison. Parce que, depuis trente ans, ils l'ont tous bien aimée. Pas autant que moi, bien sûr. Pas si fort.

Je n'ai même plus besoin d'y toucher. Au début, je tripotais tout. Mais maintenant, ce n'est plus la peine. Je sais par cœur ce qu'il y a derrière les portes de placards. Dans le placard de la chambre, par exemple, il y a cinq robes pendues sur de tout petits cintres, cinq robes pour Maman Ourse. Il y en a une en satin bleu, avec des perles autour du col. Une robe de bal, la maîtresse dit. Pas pour jouer à la balle, comme le croyait cet idiot d'Henry Jackson, non, pour aller danser avec des gens bien habillés, dans une grande fête d'autre-fois qui s'appelait un bal. La robe de satin bleu est belle, mais Maman Ourse en a une autre, à fleurs rouges et jaunes, avec des tas de volants et de fronces, plus un chapeau de paille assorti, tout fleuri, à rubans rouges. Je crois que c'est cette robe-là que je préfère.

Tous les lits ont des vrais draps, et des oreillers avec de la dentelle autour. Celui de Bébé Ours est comme un ber-ceau, et sa couverture est faite de tas de petits bouts de tissu cousus ensemble — un couvre-pieds en patchwork, Miss Thompson appelle ça.

De temps en temps, Miss Thompson permet à deux ou trois élèves de l'aider à faire le ménage dans la Maison des Ours. Elle choisit ceux qui ont été les plus sages le mois d'avant. Ce mois-ci, j'aurais bien voulu que ce soit moi, mais elle a choisi Jennifer James, Carol Moreno et Franklin Coates. Ils ont lavé les carreaux et ciré les planchers et astiqué les meubles. La maîtresse leur a demandé de décrocher les cadres des murs, pour leur donner un petit coup de chiffon. Il y en a un, dans le séjour, c'est elle qui l'a brodé, toute seule, pour ses ours, quand elle avait à peu près mon âge. DIEU BENISSE CE LOGIS, il y a écrit au point de croix.

Moi je me dis que j'ai de la chance. Parce que, si j'avais redoublé, ou si j'avais un an de moins, je ne serais pas dans la classe de Miss Thompson cette année, et l'an prochain ce sera trop tard. Et avec une autre maîtresse, il n'y aurait pas de Maison des Ours.

Quelquefois, quelqu'un demande :

— Où est-ce que vous irez, Madame, quand l'année sera finie ?

— En retraite, dit Miss Thompson.

Et elle nous parle de toutes ces années, trente ans et plus qu'elle enseigne, et elle nous dit qu'elle devient trop vieille, trop fatiguée.

— Et qui aura la Maison des Ours, Madame ?

— Je n'en sais rien encore, dit Miss Thompson, je n'ai rien décidé. Mais comme je vous l'ai annoncé dès la rentrée, cette maison ira à l'élève de cette classe qui l'aura *méritée*, à celui qui aura fait le plus d'efforts pour progresser, celui qui aura fait preuve de persévérance...

C'est toujours comme ça qu'elle parle, avec des longues phrases et des mots que personne ne comprend.

Alors, Jennifer James et Rosalie Gonzales se regardent du coin de l'œil sans tourner la tête. Tout le monde sait bien ce que c'est l'une des deux qui aura la Maison des Ours. Rosalie est la meilleure de la classe, elle apporte tout le temps des livres à la maîtresse, des gros, pour lui faire voir ce qu'elle est en train de lire. Mais c'est Jennifer la chouchoute, c'est toujours elle qui va chercher de la craie, et elle est tout le temps fourrée dans les jupes de Miss Thompson, à faire le bébé. Alors je crois que ce sera Jennifer. Et c'est normal, je trouve. Moi, si j'avais quelque chose de précieux, quelque chose que je voudrais donner, je sais que je le donnerais à qui j'aime le mieux. A ma petite sœur Flora, par exemple.

En tout cas, c'est pour ça que j'ai de la chance cette année. La chance d'être dans la classe de Miss Thompson. L'an prochain, il n'y aura pas de Miss Thompson, pas de Maison des Ours. Je ne veux pas penser à l'an prochain. Parce que cette maison est à moi, et qu'elle sera toujours à moi, même si la maîtresse la donne à quelqu'un d'autre.

Tous les jours, je fais ce que je peux pour avoir le droit de jouer à la Maison des Ours. C'est quand on a fini le premier la lecture ou le calcul qu'on a le droit d'aller y jouer — sans bruit — en attendant que les autres aient fini. Pour les questions de lecture, il y a toujours quelqu'un qui a fini avant moi, mais pour le calcul c'est souvent moi la première. C'est parce que j'emporte le livre à la maison, et que je fais les problèmes d'avance, le soir, avant de dormir. Une fois que Flora dort, j'ai tout le temps que je veux.

— Tu as terminé, Fran Ellen ? dit la maîtresse. Bien. Tu peux aller jouer à la Maison des Ours.

J'y vais sans me presser, comme si ça m'était bien égal d'y jouer ou pas. Je fais attention parce que, si elle savait, pas sûr qu'elle m'y laisserait jouer encore.

Alors je m'installe derrière la table,

du côté où il n'y a pas de mur, je mets mon pouce dans ma bouche et je suis prête. Je ne touche à rien, rien du tout. Je n'ai pas besoin d'y toucher.

Souvent, au bout d'un moment, Miss Thompson me dit :

— Tu peux y toucher, Fran Ellen. Tu peux toucher tout ce que tu veux, du moment que tu fais attention.

Un jour, elle a même ajouté :

— Je me demande pourquoi tu tiens tant à jouer à la Maison des Ours. Parce que tu n'y joues pas, en fait. Tu restes assise là, sans rien faire, à sucer ton pouce comme un bébé. Il n'y aurait pas de Maison des Ours, ce serait pareil.

— Oh ! non Madame, je lui ai répondu tout bas.

J'ouvre la porte et j'entre.

Février

J'ai une autre maison, bien sûr, en plus de celle des ours. Celle où j'habite avec ma famille. Elle n'est pas du tout comme la Maison des Ours. Même avant, elle n'y ressemblait pas, mais c'était quand même mieux que maintenant, depuis que Maman est malade.

Tout était mieux, avant. Sauf ma petite sœur Flora. Elle, elle est mieux maintenant — elle est cent fois plus mignonne. C'est le plus joli bébé du monde, je crois. C'est vrai. Et je ne dis pas ça parce que c'est ma sœur. Des sœurs, j'en ai deux autres et je ne les trouve pas jolies. Il y en a même une que je déteste.

On est quatre filles à la maison, quatre filles et un garçon. On a tous des noms qui commencent par F. L'aîné, c'est mon grand frère Fletcher. Il a douze ans et demi, il est drôlement intelligent et en plus il est gentil — en général. Ensuite, il y a Florence. Elle a onze ans et c'est une vipère. C'est elle que je déteste. Pas tout le temps mais presque. Après, il y a moi, pas la peine d'en parler. Après, il y a Felice qui a cinq ans. Elle est trop grosse, et elle crache des postillons quand elle parle. Je ne l'aime pas trop trop, mais je ne la déteste pas comme Florence. Et enfin il y a Flora, ma petite sœur à moi. Elle a sept mois.

Nos parents ont tous deux un nom qui commence par F aussi. Maman, c'est Francine, et Papa, Fred. Frederick. Frederick Emerson Smith.

Mes frère et sœurs et moi, on a tous un deuxième prénom : Fletcher Thurman, Florence Anne, Felice Georgene, Flora Elizabeth, et, pour Maman, Francine Norma. Mais il n'y a que moi qu'on appelle par ses deux prénoms. Peut-être parce que le premier est trop court. Mais peut-être aussi parce que je ne fais rien comme les autres. C'est peut-être pour ça qu'on m'appelle d'une autre façon.

Papa n'habite plus avec nous. Où il est, je n'en sais rien. Personne n'en sait rien. Un jour, il a disparu. Maman a cru d'abord qu'il était retourné à Harlan, en Alabama. Pour voir l'oncle Wilt. Harlan, c'est là qu'on habitait avant. Mon père et mon grand-père et l'oncle Wilt avaient un garage et une station-service là-bas. Mais mon grand-père est mort, et après ça mon père et mon oncle ont commencé à se disputer tout le temps. Pour finir, l'oncle Wilt a donné de l'argent à Papa, et on est venus s'installer ici, dans le Nord. Mais Papa n'arrêtait pas de dire que l'oncle Wilt l'avait grugé. Grugé, c'est ce qu'il disait. Quand on n'a plus eu d'argent, et que Maman a dû quitter son emploi, il le répétait tout le temps.

C'était drôlement bien, pourtant, comme emploi. Elle était serveuse dans une pâtisserie, et tous les soirs elle rapportait un grand sac plein de beignets à tous les parfums. Dans la boutique elle portait une blouse blanche, comme une infirmière, et elle sentait bon le sucre glace.

Et puis Flora est née, et Maman a eu des problèmes. Le docteur a dit qu'il fallait qu'elle reste à la maison jusqu'à ce qu'elle aille mieux. C'est à ce moment-là qu'on nous a inscrits à l'Aide sociale. Quand Flora est née, Papa n'a pas été content. « Encore une fille, il disait. On avait bien besoin de ça ! » Quatre filles, c'est quatre bouches de trop à nourrir. Papa n'a jamais réussi à trouver un emploi stable, ici. C'est à partir de là qu'il a commencé à dire que l'oncle Wilt était un voleur, que les sous qu'il avait reçus de lui ne valaient pas sa part du garage de Grand-père, qu'il irait à Harlan pour lui régler son compte.

Alors, quand elle a vu qu'il ne revenait pas, Maman a dit que sans doute il était retourné à Harlan. Elle a même écrit à l'oncle Wilt. Il n'a pas répondu tout de suite, alors elle a réécrit. Cette fois, l'oncle a répondu qu'il n'avait pas vu Papa, et qu'il ne pensait pas le voir revenir. Il a écrit qu'il n'avait pas d'argent en trop, rien à donner, que ce n'était pas la peine que Maman lui écrive encore. Si jamais il voyait Papa, il lui demanderait de nous écrire, lui.

C'est là que Maman a commencé à pleurer. Elle pleurait tout le temps, elle n'arrivait même plus à s'occuper de Flora. Et pourtant, tant pis si je radote, Flora est un bébé comme on n'en fait pas beaucoup. Elle est mieux que mignonne : adorable. Mieux qu'adorable : c'est un ange. Toute la journée, ou bien elle dort ou bien elle gazouille ou elle rit. Elle ne pleure jamais, jamais. Bizarre, non ? Nous, on a un bébé qui ne pleure pas, et c'est Maman qui pleure tout le temps. Qui pleure et qui dort.

C'est tout ce qu'elle fait, depuis qu'elle est tombée malade. A part se lever, quelquefois, et aller voir dans la boîte aux lettres. Avant, Maman aimait bien faire la cuisine. Des choses qui sentaient bon dans toute la maison — du poulet, des haricots, des tartes. Et elle parlait beaucoup, aussi, et elle avait la main leste. Si on oubliait de se laver les mains ou de changer de sous-vêtements ou de cirer ses chaussures, vlan ! une claque. Et elle balayait tous les jours, et deux fois par semaine elle passait la serpillière et elle encaustiquait le plancher. Maintenant, tout lui est égal.

— Maman, Felice a fait tomber le ketchup par terre. Y a des bouts de verre partout, et elle veut même pas les ramasser. Maman !

Rien. Pleurer, dormir. Voilà tout ce qu'elle sait faire.

Oh ! elle n'est pas devenue comme ça tout d'un coup. C'est arrivé peu à peu, en douce, mais un jour Fletcher nous a dit qu'à son avis elle ne pouvait plus s'occuper de nous. Il nous a dit de bien l'écouter, Florence et moi et Felice, et il nous a dit qu'on avait le choix entre trois solutions, pas une de plus. Et que c'était à nous de choisir.

Un. On pouvait écrire à l'oncle Wilt pour lui dire que Papa n'était pas revenu, et que Maman était malade, et qu'on n'avait plus personne pour s'occuper de nous. D'après Fletcher, l'oncle était pratiquement obligé de nous prendre chez lui, à Harlan.

L'ennui, c'est qu'on n'avait pas envie d'aller là-bas, ni moi ni mes sœurs ni lui. L'oncle Wilt, on ne l'aime pas beaucoup. Tante Janine et lui, ils n'ont pas d'enfants. Et ils ne les aiment pas, les enfants — pas nous en tout cas. Leur maison est minuscule, et dedans il y a des tas de choses que les enfants n'ont pas le droit de toucher. Je ne vois pas où ils nous auraient mis, ils ont tout juste de la place pour eux et pour leurs affaires.

Deux. Les gens ne sont pas très gentils dans l'immeuble, mais d'après Fletcher on pouvait quand même mettre un voisin au courant. Le problème, c'est que le voisin préviendrait sans doute la police, qui viendrait voir et déciderait de mettre Maman à l'hôpital et de nous placer dans des familles. On ne serait sans doute pas placés tous au même endroit. Il y avait même des chances pour qu'on ne se revoie plus, a dit Fletcher.

Quand elle a entendu ça, Felice s'est mise à hurler, et Florence à brailler comme un veau. Je crois bien que j'ai pleuré aussi. Pas à l'idée de ne plus revoir Florence ou même Felice. Mais Fletcher m'aurait manqué, lui, et Maman aussi, Maman comme elle était avant. Mais surtout, c'est l'idée de perdre Flora que je n'ai pas pu supporter. L'idée de les voir prendre Flora et l'emporter loin de moi ; ça, je n'allais pas l'accepter. Pas question de laisser quelqu'un m'enlever Flora.

— En ce cas, a dit Fletcher, il nous reste la troisième solution. On ne dit rien à personne. Pas un mot. Pas un mot sur la disparition de Papa, pas un mot sur la maladie de Maman. D'abord, il y a des chances pour qu'elle aille mieux bientôt, et tout redeviendra comme avant. Mais en attendant, bouche cousue. Compris ?

C'est Felice qu'il regardait en disant ça. Elle a juste cinq ans, mais c'est une vraie pipelette.

Elle s'est remise à pleurnicher.

— Je dirai rien, moi ! Je dirai rien !

— Ou sinon, a dit Florence, ils viendront te prendre et te mettre en prison. Et pour avoir des gâteaux, tu pourras toujours courir ! Du pain et de l'eau, c'est tout ce que t'auras, et chaque fois que tu brailleras, ma vieille, tu verras, ils te pinceront.

Felice a compris. Elle n'a plus pipé.

On était tous d'accord pour choisir cette solution.

— Parfait, a dit Fletcher, mais il va falloir mettre au point un système, pour être sûrs que personne ne s'aperçoive de rien.

Comme c'est lui l'aîné, et l'homme de la maison, Fletcher a décidé que ce serait lui qui s'occuperait des sous et de tout ça. Ce serait lui qui ferait les commissions et qui écrirait les lettres et qui discuterait avec les grandes personnes. Nous, il valait mieux qu'on ne dise rien, sauf bien sûr « bonjour », « au revoir », et « ça va » si on nous posait des questions. Pour le reste, il faudrait le laisser parler, lui. Même avec la dame de l'Aide sociale, il faudrait se taire et le laisser parler. Et il a dit aussi que ce serait lui qui s'occuperait de Maman.

Ça, c'était bien normal. D'abord, Maman a toujours préféré Fletcher. Elle a toujours été fière de lui. Quand Papa était là, il grognait tout le temps que Fletcher lisait trop, qu'il aurait mieux fait de jouer au base-ball, et que c'était une petite nature parce qu'il pleurait si on lui tapait dessus, mais Maman prenait la défense de Fletcher. Elle disait qu'un jour il deviendrait quelqu'un, que Papa verrait bien. Même encore maintenant, si quelqu'un peut aider Maman à guérir, c'est bien lui. Les jours où elle dit qu'elle n'a pas faim, par exemple. Si on lui apporte quelque chose, Florence ou moi, elle répète non, non ; mais si c'est Fletcher qui va dans sa chambre et qui lui dit : « Maman, sois gentille, il faut que tu manges », alors elle mange et boit gentiment, exactement comme Flora avec moi.

En plus Fletcher est le seul qui arrive à faire lever Maman, les jours où la dame de l'Aide sociale vient fourrer son nez chez nous. Il dit à Maman d'arrêter de pleurer et elle arrête. Il arrive même à la faire répondre aux questions de la dame. Quelquefois, la dame nous pose des questions à nous aussi. Elle veut savoir comment on va, si on a assez à manger, si tout va bien.

Alors Fletcher lui fait un grand sourire, on lui fait tous un grand sourire, mais c'est Fletcher qui parle. Il dit :
— Oui Madame, ça va très, très bien.

Et il se débrouille pour parler de Flora, et pour que la dame la regarde. Parce qu'elle est vraiment si mignonne qu'elle met tout le monde de bonne humeur. Et la dame devient gentille rien qu'à regarder ma petite sœur.

Il faut dire, je la tiens propre et tout. Pour le reste, quelquefois, c'est vrai, je laisse un peu mes affaires traîner, et quand Fletcher voit la dame de l'Aide sociale regarder les miettes par terre ou la vaisselle dans l'évier, il nous passe un beau savon, à Florence et moi, une fois qu'elle est partie. Et Florence se retourne contre moi et crie comme un roquet et elle me lance des coups de pied. Un jour, même, elle m'a mordue à l'épaule. Fort : on voit encore la marque.

Tout ça parce qu'à son avis c'est moi qui devrais faire le ménage. Elle dit que c'est elle qui devrait s'occuper de Flora, et moi qui devrais faire le ménage. Sauf que Flora, elle ne sait même pas la changer — d'abord elle ne sait rien faire, à part ronchonner ou cogner.

D'ailleurs, le jour où Fletcher nous a expliqué son système, il a commencé par dire que Florence et moi, toutes les deux, on ferait le ménage et on s'occuperait de Flora.

Florence a dit que c'était d'accord, qu'elle s'occuperait de Flora et qu'elle ferait la cuisine, et que le ménage serait pour moi. Moi j'ai fait « non », que j'aimais mieux le contraire, et c'est pour ça qu'elle m'a mordu l'épaule. En plus, elle m'a tiré les cheveux et m'a donné une gifle.

Alors j'ai crié : « Ça va pas, non ? » en fourrant mon pouce dans ma bouche.

Et Felice s'est mise à me taper dessus elle aussi.

C'est complètement idiot, je sais. Je ferais bien mieux de cogner moi aussi, au lieu de fourrer mon pouce dans ma bouche. Mais c'est toujours pareil. Si on me tape dessus, à l'école ou à la maison, je dis : « Ça va pas, non ? » et je me remets à sucer mon pouce. Le résultat, c'est qu'on me cogne dessus encore plus fort. Un jour, pourtant, il faudra bien que je me décide à répondre. C'est ce que je me dis chaque fois, mais mon pouce est toujours plus rapide que moi.

Il n'y a que Fletcher qui ne me tape

pas dessus. Ce jour-là, il a même ordonné à Florence et Felice d'arrêter. Mais il évitait de me regarder, comme s'il n'aimait pas beaucoup ce qu'il y avait à voir. Et il a dit :

— Bon. Florence s'occupera de Flora et elle fera la cuisine. Et toi, Fran Ellen, tu feras le ménage.

Résultat : c'est moi qui fais le ménage *et* qui m'occupe de Flora. Florence ne fait rien du tout. La cuisine, ce n'est pas la peine, parce que Fletcher achète des boîtes, du jambon, des purées instantanées, des trucs déjà cuits. C'est bon, mais Florence a juste à les faire réchauffer, et encore ! Quelquefois, on a tous si faim que personne ne veut attendre, alors tant pis, on mange froid. En dessert, on mange des beignets au chocolat, des biscuits au chocolat, des barres au chocolat. J'aime bien, mais quelquefois je me souviens de la pizzeria où Papa nous emmenait de temps en temps, avant, et j'aimerais bien y retourner, pour changer.

Le petit déjeuner, c'est facile, avec les céréales. A midi, je n'ai aucune idée de ce que Felice mange, mais de toute façon elle est énorme et elle mange tout le temps, donc il n'y a pas à s'en faire pour elle. Fletcher et Florence et moi, on mange tous les trois à la cantine. Moi, je suis obligée de manger vite, pour courir à la maison et donner son biberon à Flora. Encore heureux, on habite presque à côté. Normalement, c'est Florence qui devrait le faire, et le matin aussi, c'est elle qui devrait se lever en avance pour la changer et lui faire chauffer son lait. Mais bien sûr elle ne le fait jamais.

Et je suis bien contente qu'elle s'en moque. Parce que moi, Flora, je l'adore, et elle aussi elle m'adore. Elle ne veut pas que quelqu'un d'autre s'occupe d'elle — personne, rien que moi. Et moi je ne laisserais personne s'occuper d'elle. D'abord, il n'y a que moi qui sais vraiment faire. C'est pour ça qu'elle est si mignonne et qu'elle est toujours prête à rire. Parce que c'est moi qui m'occupe d'elle. Au fond, j'ai rudement de la chance que Florence soit si paresseuse.

Donc, juste après la cantine, je file à la maison. Le matin, Felice ne va pas en classe. D'habitude, le matin, Flora se

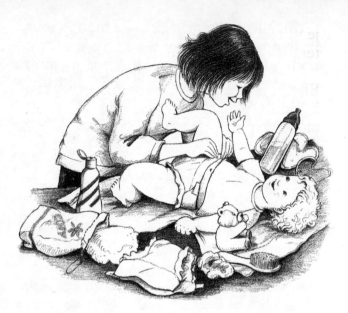

rendort après son biberon et elle dort
toute la matinée, mais si jamais elle se
réveille Felice peut toujours lui donner
un biberon d'eau avec du sirop. Elle
aime bien la citronnade, Flora. Et la
grenadine aussi. Le problème, c'est
l'après-midi. Felice va au jardin d'enfants, l'après-midi. Flora reste toute
seule pendant plus de deux heures. Il y
a Maman, bien sûr, mais Maman...
Alors, moi je me fais du souci. Depuis
la semaine dernière, pendant la récré,

je file à la maison en douce. Juste le temps de vérifier que tout va bien.

Miss Thompson ne s'aperçoit de rien. Elle, il faut qu'elle me voie pour penser à moi. C'est toujours comme ça, avec moi. Quand je n'y suis pas, personne ne le remarque.

Mars

Le pire, c'est les récréations. Avant, je n'aimais pas trop non plus la demi-heure d'après la cantine, mais maintenant je file à la maison, donc je n'ai plus à m'en inquiéter. De toute façon, c'était moins embêtant que les récrés, parce qu'après la cantine on nous fait tous sortir dans la cour, toutes les classes ensemble, alors je trouvais toujours un coin où me cacher et me faire oublier. Ou même, quelquefois, je m'enfermais dans un cabinet, aux toilettes, et là je pouvais sucer mon pouce tranquillement sans être dérangée.

L'ennui, c'est que pour les récréations

on nous fait aller aux toilettes d'abord. Et après ça, dans la cour, il faut rester avec sa classe. L'après-midi, depuis la semaine dernière, je me débrouille pour faire un saut à la maison comme à midi. Ce n'est pas trop difficile. J'attends qu'on ne soit plus en rang, et dès que les autres se rassemblent pour décider à quoi ils vont jouer je me faufile jusqu'à la porte de derrière, je prends l'escalier qui descend au sous-sol, et par là je sors dans la rue. Personne ne s'aperçoit de rien.

Reste la récré du matin. Le matin, je ne sais pas pourquoi, il y a toujours quelqu'un qui me remarque, quelqu'un qui voit que je ne joue pas, que j'essaie de me faire oublier, près de la fontaine d'eau potable.

Miss Thompson, par exemple — elle a l'œil pour ce genre de choses. Alors elle s'approche et dit :

— Qu'est-ce que tu fais ici, Fran Ellen ?

Et moi je lui dis :

— J'avais soif, je suis venue boire.

— Boire ? Parce que tu peux boire en suçant ton pouce, Fran Ellen ?

— Oui, Madame.

— Enlève ton pouce de ta bouche pour parler, voyons ! Une grande fille comme toi ne devrait plus sucer son pouce depuis longtemps.

— Oui, Madame.

— *Oui, Madame* — quoi, *oui, Madame* ? C'est vraiment tout ce que tu sais dire, *oui, Madame* ?

— Non, Madame.

Quelque chose dans ce genre-là. Alors elle me ramène avec les autres, et s'ils sont en train de former des équipes c'est moi qu'on appellera en dernier, sauf si Georgie Cooper est à l'école ce jour-là. Georgie est un débile léger, j'ai entendu la maîtresse le dire à une dame, et les autres le détestent encore plus que moi — sauf que maintenant ils lui laissent la paix et pas à moi. Tout ça parce qu'il répond, lui, quand on l'attaque. Un jour, Brian Jamison a dit comme ça qu'il avait des poux, alors Georgie l'a pris par le cou à deux mains et il a serré. Il a fallu deux maîtresses pour l'obliger à lâcher. Brian avait les yeux comme ceux d'un lapin au marché. Après ça, ils ont tous fait comme si Georgie n'existait plus, mais bien sûr c'est toujours lui le dernier choisi dans les équipes.

Après ça, si je rate la balle, quelqu'un comme Jennifer James m'envoie un coup de pied au passage. Et c'est difficile d'attraper la balle quand on suce son pouce, alors moi j'aimerais mieux qu'on me laisse tranquille au lieu de me faire jouer. Parce que bien sûr, après ça, les autres me traitent de « Suce-pouce », et quand la partie est finie, même si on a gagné, il y a toujours quelqu'un pour dire que j'ai joué comme un pied et me bourrer de coups de poings, pour la peine.

Autrement, il y a un jeu que Susan et Jennifer adorent. C'est elles qui l'ont inventé et elles y jouent avec moi chaque fois que je suis dans leur équipe, pendant qu'on attend notre tour. C'est-à-dire presque tous les jours, et quand elles oublient d'y jouer j'ai presque peur que ça veuille dire qu'elles ont inventé pire encore, et qu'elles attendent le bon moment. Voilà comment elles jouent à ce jeu.

— Dis que Susan est une andouille, me lance Jennifer.

Susan, c'est la plus grande de la classe. Pour donner des claques, elle sait faire. Alors, je mets mon pouce dans ma bouche en faisant non.

Elles rient et se lancent des coups de coude.

— Berk ! elles disent. Hou, la Suce-pouce ! Espèce de bébé ! Tu sens le bébé !

Et au bout d'un moment, Jennifer répète :

— Allez, vas-y, quoi, Fran Ellen. Dis que Susan est une andouille. Je t'assure, elle te fera rien. Hein, Susan ?

Susan fait son sourire de vipère et elle dit :

— Évidemment, que je lui ferai rien.

Mais moi je suce mon pouce plus fort, c'est tout.

Jennifer James est jolie. Joliment méchante aussi, mais elle est jolie. Elle a des fossettes, et des pulls tout doux, et c'est la chouchoute de la maîtresse. Elle a des collants de toutes les couleurs et au moins cinq paires de chaussures. Mes préférés, ce sont ses petits souliers de cuir orange qui font clic-clic à chaque pas, mais ce sont eux qui font le plus mal, aussi, quand elle me marche sur les pieds en disant d'une voix douce :

— Ooh, je suis désolée, Fran Ellen, mais je t'assure, il vaudrait mieux que tu dises que Susan est une andouille, si tu veux pas que je t'écrase les pieds. D'accord ? Dis qu'elle est une andouille, et après ça on te fichera la paix.

Alors moi, au bout d'un moment, je finis par dire que Susan est une andouille. Elle m'allonge une claque, Jennifer me lance un coup de pied et tous ceux qui passent par là se dépêchent d'en faire autant. Et moi, tout ce que je sais faire c'est dire « Ça va pas, non ? » et sucer mon pouce à mort.

Quelquefois, Miss Thompson arrive, et elle nous ordonne d'arrêter ça, et elle demande ce qui s'est passé.

— C'est elle qui dit que je suis une andouille ! pleurniche Susan. Moi je lui faisais rien, et elle a dit que j'étais une andouille et ma mère aussi. (Plusieurs fois, elles m'ont obligée à dire que la mère de Susan était une andouille aussi.) Et moi, je veux pas qu'on dise ça, que ma mère est une andouille.

A voir Miss Thompson, on sait tout

de suite qu'elle non plus ne veut pas qu'on dise que la mère de quelqu'un est une andouille. Mais elle me demande quand même si c'est vrai, si j'ai dit quelque chose d'aussi vilain. Je suis bien obligée de répondre « oui ». Alors Miss Thompson dit à Susan qu'elle n'a pas à taper comme ça. Que si quelqu'un injurie sa famille, il faut venir la trouver tout de suite, elle, la maîtresse.

Et puis elle se tourne vers moi.

— Viens par ici, Fran Ellen.

Je la suis.

— Ici. Ne bouge plus.

Je sais. Elle n'aime pas m'avoir trop près d'elle, à cause de mon odeur de mouillé. Elle me dit :

— Qu'est-ce que c'est que cette manie, Fran Ellen, de toujours insulter les autres ? Je comprends que Susan soit furieuse, on n'a pas idée de s'en prendre à elle comme tu le fais. Et retire-moi ce pouce de ta bouche.

Et patati, et patata. Des choses que j'ai entendues cent fois. Mais la plupart du temps Susan et Jennifer tâchent de jouer à leur petit jeu quand la maîtresse ne regarde pas.

Sans ces deux-là, Miss Thompson ne me remarquerait pas tant. En classe, je ne travaille ni bien ni mal, je ne vois pas pourquoi elle me remarquerait. Je ne suis pas idiote, je ne suis pas un génie. Je ne lève jamais la main, mais quand elle m'interroge je connais souvent la réponse. Je ne bavarde pas, je ne fais pas passer de petits billets — il faudrait savoir à qui, pour commencer. Les seules fois où elle me remarque, c'est quand j'ai fini le calcul la première et que je lui apporte ma feuille. Alors, elle dit :

— Bien, Fran Ellen. Tu peux aller jouer avec la Maison des Ours.

Et je m'y faufile sans bruit, toute seule au fond de la classe. J'avance la chaise pour m'asseoir bien en face, je mets mon pouce dans ma bouche, j'oublie Jennifer James, Susan Rogers et le reste. Je suis bien.

Le seul autre moment où je suis bien, c'est quand je m'occupe de ma petite sœur. Avec elle, je ne suce pas mon pouce — c'est vraiment la seule fois où je n'ai même pas envie de le sucer. Mais ce n'est pas vraiment moi. Alors que c'est bien moi dans la Maison des Ours.

La porte est ouverte, évidemment. Je monte l'escalier et je m'approche du petit lit.

Elle ouvre les yeux.

— Sors de là ! je lui dis, et elle répond :

— Oui, Madame.

— Tu exagères drôlement, tu sais ! je lui fais. Tu as du culot d'entrer comme ça sans être invitée, et de te servir sans rien demander, et de te coucher dans un lit qui n'est pas à toi !

— Oui, Madame, dit Boucle d'Or.

Elle sort du lit et je prends sa place. Je continue à lui dire ce que je pense d'elle, et elle, tout ce qu'elle sait faire, c'est dire : « Oui, Madame » et sucer son pouce.

— Espèce de Suce-pouce, je lui dis.

Après ça, elle et moi, on suce nos pouces ensemble un moment, et je ne suis même plus en colère après elle.

Plus tard, quand les trois ours ren-

trent, je lui dis qu'elle ferait mieux de s'en aller.

Elle se met à pleurer :

— Mais pour aller où ? elle dit, et les larmes coulent sur ses joues trop rouges.

Alors je lui dis :

— Attends. Arrête de brailler comme ça. Tout ça, c'est de ta faute, tu sais, mais je vais quand même essayer de t'aider. Reste ici.

Vite, elle se cache sous le lit et je descends l'escalier. Il y a de la moquette sur les marches, les ours ne m'entendent pas.

Ils sont dans le séjour tous les trois. Papa Ours regarde son fauteuil. C'est un grand fauteuil rouge, rembourré. On voit bien qu'il y a un creux au milieu du coussin, et Papa Ours dit :

— Qui s'est assis dans mon fauteuil ?

Maman Ourse ne lui répond pas, parce qu'elle aussi regarde son fauteuil. C'est un fauteuil à bascule bleu clair. Au milieu du coussin il y a une marque de pied. Maman Ourse est en colère — comme Maman, avant, quand on marchait sur le canapé.

— Quelqu'un a touché à mon fauteuil, dit Maman Ourse.

Et Boucle d'Or a bien de la chance d'être en haut, cachée sous le lit.

Bébé Ours n'a rien dit encore. Il est mignon comme tout, Bébé Ours, mais bien sûr pas comme Flora. D'abord, il est plus grand. Il parle, et il mange tout seul. Lui, c'est son petit fauteuil qu'il regarde, un petit fauteuil de bois peint avec des fleurs rouges et bleues. Il n'a pas de coussin, mais il n'en a pas besoin. C'est son papa qui lui a fait ce fauteuil. Oui, mais le fauteuil est cassé, justement. Il a un pied cassé et il est tout de travers. Alors Bébé Ours se met à pleurer :

— Quelqu'un s'est assis dans mon petit fauteuil et l'a tout cassé !

Là-dessus, il se met à hurler.

C'est à ce moment-là que j'entre. Je m'avance dans la pièce et tout de suite je leur dis :

— Vous êtes complètement fous ou quoi ? Vous croyez qu'on s'en va comme ça sans fermer sa maison ? Vous laissez votre porte ouverte, n'importe qui peut entrer et voler tout ce que vous avez ! Un jour, vous rentrerez et vous ne trouverez plus rien.

— Qui es-tu ? dit Maman Ourse.

Elle n'a pas le sourire mais je vois bien qu'elle m'admire un peu.

— Je m'appelle Fran Ellen, je lui dis. Fran Ellen Smith, et je suis une amie, vous savez. J'aime bien votre maison et je vous aime bien, tous les trois. Je suis contente de vous voir, mais je vous assure, vous feriez mieux de fermer à clé quand vous sortez.

— C'est vrai, dit Maman Ourse et cette fois elle sourit. Moi aussi, je suis bien contente de te voir. Tu veux peut-être t'asseoir et manger un morceau ?

Et moi je lui dis :

— Oh oui, je veux bien. J'ai faim.

Alors nous allons tous à la cuisine, nous asseoir autour de la table avec sa nappe à carreaux rouges et blancs. Maman Ourse ouvre la glacière. (Il n'y a pas encore de frigo, à l'époque.) Et dedans, il y a... Comment dire tout ce qu'il y a dedans ? Il y a des tartes, trois grandes tartes : une au citron, une à la pomme, une à la cerise. Il y a de la dinde, et un gros fromage, et un gâteau aux fraises, et du rôti de bœuf, et du maïs en épis et un pot de crème. Et encore bien d'autres choses, mais ce serait trop long à raconter. La seule chose qu'on n'y trouve jamais, c'est de la bouillie d'avoine. Maman Ourse n'en fait pas, je ne sais pas pourquoi. Chaque fois je me dis que je lui demanderai et chaque fois j'oublie. La prochaine fois peut-être.

Alors Maman Ourse va ouvrir son buffet à vaisselle, à côté de la glacière — un buffet comme dans les livres, avec des petites fenêtres pour laisser voir les jolis plats. Maman Ourse sort sa belle vaisselle, celle qui est pour les invités. Les assiettes sont blanches, avec des fleurs bleues autour. Et ce sont de vraies assiettes, pas du plastique ou du carton, et les verres sont vraiment en verre. C'est la vaisselle des jours de fête, Maman Ourse ne la sort que pour moi.

En plus, c'est comme à la télé, dans la publicité où on vous dit quel produit mettre dans le lave-vaisselle. La vaisselle de Maman Ourse brille à vous faire cligner des yeux. Si je regarde dans mon assiette, j'y vois mon reflet, tout brillant, *et la guirlande de fleurs sur le bord me fait comme une couronne.*

Je mange de tout, pour leur faire plaisir, mais surtout de la dinde et de la tarte au citron.

Et pendant tout le repas, on n'arrête pas de rire et de discuter, tous les quatre. Les ours sont contents que je sois là, ça se voit.

— Moi, j'ai toujours rêvé d'avoir une fille, dit Papa Ours.

En disant ça, il me regarde, et moi je pouffe un peu et je fais semblant de regarder ailleurs.

— Oui, dit Papa Ours, et je vais te dire, Fran Ellen. J'aimerais bien que tu sois ma fille.

A ce moment-là, je crois, je remets mon pouce dans ma bouche, mais les ours ne me grondent pas, ça leur est égal. Même l'odeur de mon pouce mouillé, ça leur est égal. Papa Ours me soulève et m'installe sur ses genoux. Je laisse aller ma tête contre son épaule et je ne bouge plus du tout.

— Alors, tu ne sais pas ? dit Papa Ours.

Tu vas être ma fille, voilà. Et je resterai là toujours.

— Exactement, dit Maman Ourse. Personne ne s'en ira d'ici. Jamais. Ce sera la maison de Fran Ellen pour toujours.

Alors je pense à Boucle d'Or qui est restée cachée là-haut, sous le lit de Papa Ours. Je leur dis tout, mais ils répondent que ça ne fait rien. Je peux recevoir des amis si j'en ai envie. Quand je veux. Aussi longtemps que je veux.

Je monte dans la chambre avec Maman Ourse. Boucle d'Or sort de sa cachette, toute tremblante. Elle suce son pouce et de grosses larmes coulent sur ses joues rondes.

Mais Maman Ourse lui dit gentiment :
— Allons, allons, n'aie pas peur de moi.

Elle lui donne un baiser et Boucle d'Or arrête de pleurer. Après, c'est moi que Maman Ourse embrasse, encore plus fort que Boucle d'Or, et moi je l'embrasse aussi. Elle me serre contre elle, très fort. Elle m'aime bien, j'en suis sûre.

Elle donne à Boucle d'Or la robe de satin bleu, et l'invite à rester aussi longtemps qu'elle voudra. Moi, elle me

donne la robe à fleurs rouges et jaunes,
et le chapeau de paille pour aller avec.

— Fran Ellen ? Pour la quatrième fois, veux-tu bien retourner à ta place, s'il te plaît ? Nous t'attendons.
— Oui, Madame.
   Tout en remettant la chaise en place je dis aux ours :
— Au revoir ! A bientôt ! N'oubliez pas de barrer la porte quand vous sortez. Je reviendrai dès que je pourrai !
   Et je les entends qui me crient :
— Tâche de faire vite !

Avril

Je ne sais pas pourquoi, mais l'autre jour je n'étais pas tranquille. Dès le haut de l'escalier qui descend au sous-sol de l'école, j'ai senti que j'avais les jambes en coton. Je me suis même demandé si j'arriverais à courir jusqu'à la maison. Et puis j'ai pensé à Flora. Je me suis dit que peut-être elle était réveillée. Peut-être qu'elle m'appelait en pleurant, même si elle ne pleure à peu près jamais.

Alors j'ai continué à descendre. J'avais les pieds comme du plomb. Un moment, j'ai cru entendre des pas derrière moi. Je me suis retournée d'un bloc, mais il n'y avait rien ni personne.

Simplement, j'avais si peur que j'en claquais presque des dents.

Sitôt dans la rue, je me suis mise à courir. Mes jambes tremblaient moins, en courant, mais j'ai commencé à pleurer, et plus moyen de m'arrêter. Le plus drôle, c'est qu'il n'y avait pas de quoi pleurer, pas à ce moment-là. J'habite à trois pas de l'école — on passe le coin et c'est deux immeubles plus loin. N'empêche, le temps d'arriver devant notre porte, sur le palier du troisième, je pleurais si fort que j'ai été obligée de m'asseoir pour reprendre mon souffle.

Je ne voulais pas entrer. J'avais bien trop peur. J'étais assise sur la dernière marche et je ne savais plus que faire. Je ne savais même pas de quoi j'avais peur. J'étais assise à la porte de chez nous, et j'avais peur, peur, peur.

Et puis j'ai dit tout haut :

— Flora.

C'était si bon que je l'ai répété plusieurs fois. Alors j'ai sauté sur mes pieds, j'ai mis la clé dans la serrure, je l'ai tournée deux fois, j'ai foncé. Et elle était là, dans la chambre, assise dans son berceau, bien tranquille.

Ma petite sœur ! Ma Flora ! Elle jouait avec ses gobelets de plastique, en gazouillant. Je l'ai prise dans mes bras, je l'ai dévorée de baisers. Je ne pouvais plus m'en empêcher. Elle sentait bon le bébé — et pourtant elle avait besoin d'être changée. Pendant que je la changeais, elle a plissé son petit nez et elle a dit :

— Fra Fra.

J'en suis sûre, elle a dit « Fra Fra », et ce n'est pas la première fois. C'est moi qu'elle appelle Fra Fra. Je le sais. Simplement, au lieu de Fran Ellen, elle dit Fra Fra.

Je l'ai emportée dans la cuisine. J'adore la porter. Elle n'est pas grosse. La dame de l'Aide sociale dit qu'elle est petite, mais c'est si bon quand elle se niche contre vous. Moi, quand je suis à la maison, je passe mon temps à la trimbaler partout dès qu'elle est réveillée. C'est même un peu pour ça, d'ailleurs, que je ne fais pas très bien le ménage. Je passe mon temps avec Flora.

C'est vrai que la cuisine n'est pas trop belle à voir. Ce soir, il faudra que je fasse la vaisselle. La casserole dans laquelle on a réchauffé les raviolis mardi est encore dans l'évier, et celle du bœuf de mercredi sur le réchaud, avec celle des haricots d'hier. Et cette idiote de Felice a encore renversé son lait et elle ne l'a même pas épongé. Quel cochon, cette fille, alors !

Flora niche sa petite tête dans mon cou. Je lui prépare un biberon de grenadine, je cherche un biscuit à lui donner. Mais allez donc garder un biscuit à la maison, avec Felice ! Le matin, quand elle est toute seule, si elle en découvre tout le paquet y passe.

Je déniche deux biscuits oubliés, à la figue. Je ramène Flora à son berceau, je le recouche, je la regarde boire son biberon, bien serré entre ses petites mains, et rire entre deux gorgées. Je dépose les biscuits près d'elle. Il est grand temps que je retourne à l'école. La récré ne dure pas toute la matinée.

Mais d'abord je jette un coup d'œil à Maman dans sa chambre. Je ne le fais pas toujours ; c'est Fletcher qui s'occupe d'elle. Mais quelquefois je me dis que peut-être moi aussi je pourrais l'aider à guérir plus vite.

Elle ne dort pas. Elle ne pleure pas non plus. Elle est sur son lit, les yeux grands ouverts.

Je l'appelle tout doucement :

— Maman ? C'est moi. Je suis là.

Elle me regarde. Les stores sont baissés. Il fait bien trop chaud dans cette chambre. Et ça sent le renfermé. Pourtant, pour les odeurs, je ne suis pas difficile.

— Maman, je lui demande, tu veux que je fasse quelque chose pour toi avant de m'en aller ?

— Est-ce qu'il y a du courrier, aujourd'hui ?

C'est tout ce qui l'intéresse.

— Non. Pas aujourd'hui.

— Tu as regardé ?

— Oui.

Alors elle se met à pleurer et je lui dis :

— Peut-être demain, Maman, tu sais. Tu veux que je te fasse une grenadine ?

Mais elle continue à pleurer, et elle se tourne vers le mur. Je referme la porte et je jette un dernier coup d'œil sur Flora. Elle chantonne la chanson du bébé qui s'endort. Tout va bien. Elle va faire sa sieste. Tout à l'heure je reviendrai.

Je n'ai plus peur, et pourtant quelque chose me dit de rester à la maison.

J'aurais mieux fait de rester.

Quand j'arrive à l'école, tout le monde est déjà rentré. En principe, ce n'est pas trop grave ; ça m'est déjà arrivé. Je peux toujours dire qu'en rentrant je suis passée par les toilettes.

Mais cette fois je vois bien qu'ils sont tous à me regarder.

J'aurais dû rester à la maison.

— Et où étais-tu, Fran Ellen ? dit Miss Thompson.

— Aux toilettes, Madame.

Toute la classe rit, et Miss Thompson dit :

— Si longtemps ?

— Oui, Madame.

— Non, Fran Ellen, ce n'est pas vrai. Tu voudras bien rester ici après la classe, nous avons à parler, toi et moi. Et maintenant, assieds-toi et ouvre ton livre de lecture à la page trente.

— Oui, Madame.

A la dernière sonnerie, tout le monde

s'en va, sauf moi. Miss Thompson me dit que quelqu'un m'a vue quitter la cour de récréation, aujourd'hui. Quelqu'un d'autre a ajouté que ce n'était pas la première fois. Toute la question est de savoir où je vais.

— Aux toilettes.

Mais elle ne m'écoute pas. Elle écrit quelque chose sur un papier. Elle signe, plie le papier, le met dans une enveloppe.

— Fran Ellen, tu donneras ce billet à ta mère. Je veux qu'elle vienne ici, à l'école ; j'ai à lui parler.

Mon cœur se met à tambouriner.

— Elle ne peut pas, Madame, vous savez.

— Et pourquoi donc ?

— Parce qu'elle est malade.

— Et qu'est-ce qu'elle a ?

— Je ne sais pas. Mais c'est grave. Elle a au moins quarante de fièvre, et la migraine, et elle tousse beaucoup, et elle a le nez qui coule, aussi. Elle ne peut aller nulle part.

— Bien. Ecoute-moi, Fran Ellen. Tu donneras ce mot à ta mère, parce qu'il faut que je la voie. C'est compris ?

— Oui, Madame.

— Et s'il est vrai qu'elle est malade, qu'elle vienne me voir dès qu'elle ira mieux. Ce sera à elle d'en juger. Simplement, prends ce billet, et donne-le lui dès que tu seras chez toi. Tu m'entends ?

— Oui, Madame.

— Tu comprends, ce n'est pas seulement le fait que tu quittes l'école pendant la récréation, pour aller je ne sais où — et j'aime mieux ne pas le savoir. Je crois qu'il faut que ta mère sache aussi que tu insultes tes camarades, et que tu es toujours prête à te battre, que... Fran Ellen Smith ! Retire-moi ce pouce de ta bouche, tout de suite — et ne t'approche pas de moi !

— Oui, Madame.

Je ne sais pas qu'en faire, moi, de ce billet. Le montrer à Fletcher ? Oui, mais s'il se fâche ? S'il dit que je n'ai plus le droit de m'occuper de Flora ?

Pour finir, j'ai raconté à Miss Thompson que Maman viendrait la voir dès qu'elle serait mieux.

— Parfait, a dit Miss Thompson. Dis-lui que j'en serai ravie.

Mais depuis, tous les jours, elle me

demande comment va Maman. Alors je lui réponds qu'elle va mal, qu'il n'y a aucune amélioration. Et je me casse la tête pour trouver le moyen de faire un saut à la maison l'après-midi. Ce n'est pas facile. Je ne peux plus y aller pendant la récré, alors il faut que j'invente autre chose. J'ai demandé à Florence d'y aller, elle, mais elle m'a dit : « T'es pas folle ? T'inquiète pas pour Flora, va. Qu'est-ce que tu veux qui lui arrive ? » Mais moi j'ai toujours peur qu'elle s'étrangle ou je ne sais quoi, alors c'est plus fort que moi, il faut que je coure à la maison. Quelquefois je dis que je vais aux toilettes, et je fonce. Quelquefois je dis que j'ai oublié mon gilet, ou un livre, un cahier, ou qu'il faut que j'aille donner la clé à Florence. Quelquefois aussi je reste à la maison, je ne vais pas à l'école du tout.

Je ne m'inquiète pas pour la Maison des Ours. Elle est toujours là quand je reviens.

Bébé Ours saute de joie et crie de toutes ses forces.
— Moi je sais un secret !

— Tais-toi, dit Maman Ourse en lui donnant une tape.

Une petite tape, bien sûr ; d'ailleurs ça ne l'empêche pas de rire et de continuer à sauter.

Moi je demande à Papa Ours :

— Et pourquoi cette porte est fermée, là, la porte de la cuisine ?

— Parce qu'on attend Boucle d'Or, dit Papa Ours.

— Et où elle est ?

Maman Ourse entrouvre la porte de la cuisine et jette un coup d'œil à l'intérieur, comme si elle vérifiait quelque chose. Elle referme la porte et dit :

— Je ne sais vraiment pas ce que cette fille a derrière la tête. Quelquefois elle disparaît pendant des heures. Je ne sais pas où elle va, et j'aime mieux ne pas le savoir.

Alors je dis à Maman Ourse :

— Je lui parlerai, moi. C'est promis.

— Je crois que ça vaudrait mieux, dit Maman Ourse. Surtout qu'elle n'écoute que toi.

A ce moment-là, Boucle d'Or apparaît. Elle est tout essoufflée, comme si elle avait couru.

— Où est-ce que t'étais ? je lui demande.
— Aux toilettes.

Elle cache quelque chose dans son dos.

— Aux toilettes, ça m'étonnerait, je lui fais. Parce que justement il y en a pas, dans cette maison.

Elle a l'air prête à pleurer, alors j'ajoute :

— Bah, ça ne fait rien, va... Qu'est-ce que tu as dans ton dos ?

Elle jette un coup d'œil du côté de Papa Ours. Il hoche la tête comme pour dire : « Oui, d'accord. »

D'accord quoi ?

Boucle d'Or avance le bras. Dans sa main, il y a une grosse boîte, enveloppée de papier d'or et d'argent, avec un énorme nœud rouge par-dessus. Elle me la tend. Je dis :

— C'est pour moi ? Mais pourquoi ?

Papa Ours ouvre tout grand la porte de la cuisine. Sur la table, il y a une nappe blanche, et le couvert est mis, toute la jolie vaisselle est sortie. Au milieu de la table se dresse un gros gâteau, avec des bougies plantées des-

sus. Dix bougies. Le gâteau, c'est Maman Ours qui l'a fait. Il est rose bonbon, et décoré avec des roses rouges et des feuilles vertes en sucre. Comme ceux qu'on voit dans les vitrines des pâtisseries. Mais en plus gros. Et en plus beau. Sur le dessus, il y a écrit BON ANNIVERSAIRE, FRAN ELLEN, *et un gros 10 en sucre glace.*

Et ils se mettent tous à chanter :

> *Joyeux anniVERSAIRE,*
> *Joyeux anniVERSAIRE !*
> *Joyeux AnNIverSAIRE,*
> *JOYeux AnniverSAIRE !*

Et ils m'embrassent fort, tous les quatre, et ils me donnent des tas de cadeaux enveloppés de papier fantaisie avec des gros nœuds de toutes les couleurs. Il y en a tant et tant que je suis obligée de les entasser par terre.

La fête dure un bon moment. Miss Thompson est en train de revoir le dernier problème avec Philip Speevak qui a manqué quatre jours, si bien que j'ai le temps de reprendre du gâteau trois fois avant qu'elle songe à me dire de regagner ma place.

Jamais je n'avais eu un aussi bel anniversaire. J'ai rudement bien fait d'aller à l'école aujourd'hui.

Mai

— **P**as aujourd'hui, Madame, je dis à Miss Thompson. Elle a quarante de fièvre une fois de plus, et vous allez attraper ses microbes si vous venez chez nous.

— J'ai dit *aujourd'hui*, répète Miss Thompson. Je vais faire un crochet par chez toi dès maintenant, et nous verrons bien si ta mère est trop malade pour me parler.

— Vous savez, je lui dis, la voisine, l'autre jour, elle a voulu venir chez nous, elle aussi. Résultat, elle est à l'hôpital, maintenant. Elle a attrapé la même chose que Maman, en pire.

— Fran Ellen, ordonne la maîtresse,

attends-moi ici, nous allons chez toi ensemble. Je ne crois pas un mot de ce que tu me racontes.

— Oui, Madame.

Elle ouvre des tiroirs, les referme, tripote des papiers. Moi, je file à la Maison des Ours. Papa Ours est dans le séjour, tout seul. Il me prend par-dessous les bras, me soulève, m'installe sur ses genoux. Il me fait sauter sur ses genoux en chantonnant :

A Boston, à Boston,
Pour acheter un gros quignon,
Au pas, au trot, au galop,
Nous aurons du pain tantôt !

Moi je resterais bien ici, mais Miss Thompson est prête.

Dans la rue, elle s'arrête devant sa voiture et dit :

— Tu habites loin de l'école ?

— Oui Madame, je lui dis.

Ma maison est juste au coin, mais tant pis. Ce n'est pas souvent que je monte en voiture.

Elle s'installe au volant, m'ouvre la portière.

— Dans quelle rue habites-tu ?

— Pierce Street.

Elle démarre, met son clignotant, passe le coin, et descend le long de ma rue. Je me renverse contre le dossier, je suce mon pouce, j'essaie de penser à des choses agréables.

— Et quel est le numéro de ta maison, Fran Ellen ?

— Cinq cent soixante-deux.

— Cinq cent soixante-deux ? ! Mais nous arrivons aux mille et plus. Nous avons dû passer devant chez toi, forcément.

— Oui, Madame.

— Et tu ne pouvais pas me le dire ? Pourquoi ne me l'as-tu pas dit ?

Elle n'a pas l'air très contente.

— Je sais pas.

Elle fait demi-tour, repart en sens inverse.

— Et cette fois, s'il te plaît, préviens-moi lorsque nous arriverons chez toi !

— Oui, Madame.

Elle range sa voiture contre le trottoir, descend et fait remarquer :

— C'est à trois pas de l'école, Fran Ellen. Nous n'avions pas besoin de prendre la voiture.

— Non, Madame.

— Alors pourquoi...

Mais elle n'achève pas sa question. Elle me suit dans l'escalier, et chaque fois que je me retourne pour vérifier qu'elle me suit je la vois appuyée à la rampe. Pour finir, elle me rejoint sur le palier du troisième et elle me dit, tout essoufflée :

— Un instant, s'il te plaît.

Et tout à coup je comprends : Miss Thompson est une vieille dame, et pas seulement une maîtresse qui veut fourrer son nez partout.

J'ai à peine ouvert la porte que j'entends Flora m'appeler :

— Fra Fra ! Fra Fra !

Je lui crie :

— J'arrive, mon bébé ! et je me précipite dans la chambre.

— Bra ! Fra Fra, dit Flora.

Je la prends dans mes bras, je l'embrasse. Miss Thompson est là, à la porte. Je me tourne vers elle :

— Regardez, Madame. C'est ma petite sœur, Flora. Elle a dix mois, même pas, et pourtant elle dit déjà des tas de choses. « Fra Fra » pour m'appeler, « bra » quand elle veut que je la prenne dans mes bras, « lah » quand elle veut du lait, « ho ho » quand elle veut du sirop. Vas-y, Flora, dis quelque chose à Miss Thompson, je lui dis en la couchant sur mon lit pour la changer. Dis : « Bonjour, Miss Thompson. »

— Ho ho, dit Flora. Ho ho.

— Oui, ça veut dire « bonjour » aussi, je dis à la maîtresse, très vite, parce qu'elle pourrait se vexer ; ça veut dire : « Bonjour, je voudrais mon sirop. » Hein que c'est ça que tu veux dire, mon bébé ?

— Mais regardez-moi ce bout de chou ! dit Miss Thompson en s'approchant. Si c'est pas mignon, tout de même !

— Ho ho ! Ho ho ! lui crie Flora tout excitée, en plissant son petit nez et en pédalant de plaisir.

— Hé ! Gigote pas comme ça, grosse maligne ! je lui dis, mais pas de ma grosse voix, pas comme si je la grondais vraiment.

Je talque son petit derrière et je lui mets une couche propre.

— Quel beau bébé, dit Miss Thompson. Adorable ! Ce petit nez... Et — oh ! ces grands yeux. Quels beaux yeux tu as, petit trésor !

— Ho ho. Ho ho.

— Oui, bonjour, bonjour, ma jolie, répète Miss Thompson.

Je remets Flora dans son berceau, assise bien droit, je brosse ses cheveux fins et j'y noue un petit ruban jaune.

— Ho ho ! crie Flora.

— Elle veut son biberon, j'explique à Miss Thompson.

Je reprends Flora dans mes bras, je vais à la cuisine et je lui prépare un biberon.

— Fran Ellen, dit Miss Thompson, tu es une vraie petite maman, je n'en reviens pas. Ta maman a bien de la chance d'avoir de l'aide comme ça.

— Oui, Madame.

Je tends son biberon à Flora, elle se fourre la tétine dans la bouche et commence à boire avec de grands bruits, slurp, slurp.

— Qu'est-ce que c'est, ce qu'elle boit, là ? dit Miss Thompson.

— Oh, c'est juste du sirop. Du sirop de citron vert. Normalement, c'est vert, mais le biberon est rose, c'est pour ça que ça fait cette drôle de couleur.

— Du sirop ? Ce n'est pas très nourrissant, dit la maîtresse. J'espère qu'il lui arrive de boire autre chose.

— Oh ! oui Madame, je lui fais. Bien sûr. Souvent, elle boit du lait, aussi. Le soir, elle aime bien avoir son biberon de lait.

— Est-ce que ta maman le sait, que tu lui donnes du sirop ? demande Miss Thompson (et elle a repris sa voix de maîtresse d'école). Quelque chose me dit qu'elle n'aimerait pas beaucoup savoir que tu donnes du sirop à ta petite sœur.

— Oh, elle est au courant, vous savez. Dans la famille, on adore ça, nous, le sirop. Surtout le citron vert, ou alors la grenadine. Vous en voulez peut-être un verre, Madame ?

— Non merci, dit Miss Thompson. (Elle ne regarde plus Flora, elle furète des yeux à travers la cuisine.) Et maintenant, il faut que je voie ta mère, Fran Ellen.

« Je ne crois pas qu'elle soit ici », je m'apprête à lui dire. « Elle est peut-être allée voir le médecin. » Mais juste à ce moment-là on entend grincer la porte de la chambre d'à côté, et Maman traverse le séjour à pas lents, sans doute pour aller voir à la boîte aux lettres.

— Maman, je lui dis bien haut, il y a ma maîtresse qui est là, Miss Thompson. Elle voudrait te voir.

Miss Thompson s'éclaircit la voix et dit :

— Bonjour, Madame, comment allez-vous ? Je suis désolée de vous déranger, je voulais seulement...

Mais Maman sort sur le palier, elle descend l'escalier pour aller à la boîte aux lettres.

— Elle attend une lettre importante, j'explique à Miss Thompson. Avec de l'argent dedans.

— Ah, dit Miss Thompson.

— Venez vous asseoir un instant, je lui dis, et je la conduis dans le séjour.

Je débarrasse le canapé — il y a des couvertures qui traînent dessus — et elle s'assoit sans un mot. Elle attend. J'attends aussi. Flora arrête de boire et elle tend son biberon à Miss Thompson.

— Ho ho, elle gazouille.

Miss Thompson rit, je ris aussi, Flora rit aux éclats.

Je dis à Miss Thompson :

— Vous voulez la prendre sur vos genoux ?

— Elle ne va peut-être pas vouloir, dit Miss Thompson. Elle ne me connaît pas, elle risque d'avoir peur.

— Elle ? Sûrement pas !

Je mets Flora sur les genoux de Miss Thompson. Miss Thompson est assise toute raide. Elle tient ma petite sœur serrée comme si elle avait peur qu'elle lui échappe des mains. Flora lève son petit bras pour attraper les lunettes de Miss Thompson.

— Non ! je lui dis. Non, bébé, pas ça ! Vilaine.

— Laine ? dit Flora.

Elle abaisse le bras, plisse son petit visage et rit au nez de Miss Thompson.

— Qu'elle est mignonne ! dit Miss Thompson. Oui, bout de chou, tu es adorable ! Un vrai petit trésor !

Flora se dit une fois de plus qu'elle attraperait bien ces lunettes.

A cet instant, Maman et Fletcher arrivent tous les deux en même temps.

Maman passe devant nous pour retourner tout droit à sa chambre, Fletcher s'arrête net, changé en statue — comme à la télé.

— Fletcher, je lui dis (et je sais que tout à l'heure je vais en entendre des vertes et des pas mûres). C'est ma maîtresse qui voudrait voir Maman.

— Oh, bonjour, Miss Thompson, vous allez bien ? dit Fletcher et Maman referme sur elle la porte de la chambre. Je suis content de vous voir.

— Moi aussi, Fletcher, répond Miss Thompson (et c'est vrai qu'elle a l'air contente ; elle a eu Fletcher dans sa classe aussi, il y a trois ans). Alors, et ce collège, tu t'y plais ?

— Oh ! oui, Madame, beaucoup, dit Fletcher.

Il a l'air à la fois tout gentil avec elle et furieux après moi.

— Tu as de bonnes notes ?

— Pas mauvaises, ça va. J'étais au tableau d'honneur, ce trimestre.

Flora lance sa petite main pour attraper ces fichues lunettes, alors je la reprends et je l'emporte vers sa chambre.

— Vilaine, vilaine, je lui dis et je l'embrasse sur le nez.

Elle niche sa tête contre mon cou, et j'ai un mal fou à la remettre dans son berceau. Quand je retourne dans le séjour, Fletcher est assis sur le canapé à côté de Miss Thompson et il parle vite, si vite qu'on ne croirait pas que c'est lui. Il lui parle d'un livre qu'il a lu, et il a l'air passionné de ce que dit le livre, et Miss Thompson aussi a l'air passionnée. Ils ne s'aperçoivent même pas que je suis là.

Mais je trouve ça bien mieux. Maintenant que Fletcher a pris les choses en main, je suis un peu plus tranquille. J'aurais peut-être dû le lui dire, que Miss Thompson voulait voir Maman. Je m'assois dans le fauteuil vert, pardessus une pile de linge, et je plonge mon pouce dans ma bouche, tout lisse et tout chaud.

Fletcher explique à Miss Thompson qu'on l'a mis dans une classe qui s'appelle « Anglais avancé », et qu'au début le professeur pensait qu'il n'avait rien à y faire, parce qu'il ne parlait pas assez. Mais un jour Fletcher lui a rendu un devoir, un résumé du livre dont il parlait à l'instant, justement, et le professeur a cru que ce n'était pas lui qui l'avait fait. Mais depuis, il y a eu un devoir surveillé, et le professeur a bien vu que Fletcher faisait son travail tout seul, et maintenant elle est devenue très gentille.

Fletcher rit. On ne dirait pas que c'est lui. D'habitude, à la maison, il ne rit jamais. Miss Thompson rit aussi, elle non plus on ne dirait pas que c'est elle. Elle dit :

— Je le savais, Fletcher, que tu réussirais au collège. Parce que ton attitude est excellente, que tu es toujours prêt à fournir les efforts voulus. (Cette fois je la reconnais ; c'est comme ça qu'elle parle à l'école.) Ce qui compte avant tout, dis-toi bien, c'est de persévérer. De ne jamais te décourager. De faire preuve de respect envers tes professeurs, même lorsque tu n'es pas d'accord avec eux. Souviens-toi, Fletcher. Ils sont là pour t'aider, mais il faut que tu saches...

Je n'écoute plus. Fletcher boit ses paroles, et il dit :

— Oui, je sais. Oui, Madame, je suis bien d'accord. Je fais de mon mieux, vous savez. Je fais de mon mieux...

Je suce mon pouce de toutes mes forces et au bout d'un moment ils se taisent, et je sais pourquoi. Ils me regardent.

— Bien, Fletcher, dit Miss Thompson. Je suis ravie d'avoir pu bavarder un peu avec toi, mais je suis venue voir ta mère, et il faut absolument que je lui touche un mot. Je ne voudrais surtout pas la déranger, je sais qu'elle a été malade, mais ce que j'ai à lui dire est urgent. Pourrais-tu la prier de venir me voir un instant, s'il te plaît ?

Fletcher réfléchit fort, ça se voit. Il se lève, il va frapper à la chambre de Maman. Au bout de quelques minutes, Maman sort de sa chambre, en tablier sur sa chemise de nuit.

— Chère Madame, dit Miss Thompson, je suis désolée de venir vous déranger alors que vous n'êtes pas bien, mais il faut absolument que je vous parle. C'est au sujet de Fran Ellen. Avant d'en parler au directeur, je me suis dit... J'ai pensé...

que nous pourrions peut-être arranger les choses entre vous et moi.

Maman est plantée au milieu de la pièce, elle regarde Miss Thompson sans la voir.

— Maman ? dit Fletcher.

— Oui ? dit Maman très poliment.

— Si tu t'asseyais, Maman ? dit Fletcher.

Et il l'aide à s'asseoir dans le fauteuil, de l'autre côté du tapis, en face de Miss Thompson.

— Le problème, voyez-vous, dit Miss Thompson, c'est que Fran Ellen fait l'école buissonnière, depuis un certain temps. Je suis désolée de vous l'annoncer si crûment, mais l'affaire devient très grave. Pendant un temps, elle s'est éclipsée seulement l'après-midi, durant la récréation, mais je l'ai prise sur le fait. Résultat, maintenant, c'est à n'importe quel moment qu'elle trouve le moyen de disparaître — et pour aller où, je n'en sais rien. Ces jours-ci, il lui est même arrivé de ne pas venir à l'école du tout. Elle m'apporte des mots d'excuse qui ne sont pas de vous, j'en suis sûre, disant qu'elle a eu mal à la

tête, un rhume, un cheville foulée. Et ce n'est pas le seul problème, hélas, je dois dire. Elle s'en prend à ses camarades, elle les injurie, elle se bat. Et puis... Et puis il y a ce gros, gros problème : elle suce son pouce. Sucer son pouce, à cet âge ! C'est embarrassant pour tout le monde de voir une si grande fille sucer son pouce comme un bébé. Sans parler de l'odeur qui accompagne cette détestable habitude...

Je retire mon pouce de ma bouche, très vite, mais trop tard. Fletcher et Miss Thompson m'ont jeté le même regard lourd.

— Maman ? dit Fletcher.

— Oui ? dit Maman, toujours très polie, à Miss Thompson.

— C'est pourquoi je suis venue, voyez-vous, Madame, dit Miss Thompson. J'ai tenu à vous mettre au courant de la gravité du problème, et je suis sûre que vous aurez à cœur d'y remédier.

Alors Fletcher dit :

— Bien sûr. Maman va tout faire pour que ça ne se reproduise plus, n'est-ce pas Maman ?

D'habitude, Fletcher est très fort pour

faire dire les bonnes réponses à Maman, quand la dame de l'Aide sociale vient nous voir. Mais cette fois Maman regarde Fletcher et dit :

— Il n'y a pas de courrier, aujourd'hui ?

— Non Maman, dit Fletcher très vite. Tu viens d'aller voir toi-même, et il n'y en avait pas.

— Pas de courrier, pas de courrier. (Maman se met à pleurer.) Jamais de courrier.

Alors je lui dis :

— Peut-être demain, Maman. Peut-être que demain il y aura du courrier.

— Oui, insiste Fletcher. Peut-être demain. Tu devrais aller t'allonger, maintenant, Maman. Tu te sentirais mieux.

Il la prend par la main, elle se lève et le suit vers sa chambre.

— Miss Thompson, je promets en prenant mon souffle, je vais arrêter de sucer mon pouce. Je crois que je vais arrêter.

— Fran Ellen, elle me dit très bas. Ta mère est malade.

— Oui, Madame. Je vous l'avais dit. Et aussi, Madame, je vous demande pardon pour tous ces ennuis. Je serai sage maintenant, je vous assure.

— Mais Fran Ellen, tu m'avais dit qu'elle toussait, qu'elle avait de la fièvre...

— Et je ne me battrai plus jamais, Madame. Promis.

Dans la chambre, Flora m'appelle :

— Fra Fra ! Bra, Fra Fra !

Je vais la chercher, je reviens, je me rassois avec Flora sur mes genoux. Depuis le canapé, Miss Thompson inspecte la pièce. Il me tarde que Fletcher revienne et reprenne les choses en main. Je ne dis rien à Miss Thompson. Je fais sauter Flora sur mes genoux en lui chantant « A Boston, à Boston ». Elle rit à s'en étrangler. Enfin Fletcher revient dans la pièce, très lentement.

— Je crois qu'il vaudrait mieux que je voie votre père, lui dit Miss Thompson.

J'attends que Fletcher dise quelque chose, mais comme il ne dit rien c'est moi qui répond :

— Oui, Madame.

— A quelle heure vaudrait-il mieux que je l'appelle ?

Je ne sais vraiment pas pourquoi,

mais Fletcher a perdu sa langue. Je réponds pour lui une fois de plus :

— On n'a pas le téléphone.

— Alors, qu'il m'appelle, lui.

— Il travaille tard, vous savez.

Je regarde mon frère avec insistance. Je voudrais tant le réveiller ! Il ne lève pas les yeux du plancher.

— Fletcher, dit Miss Thompson. Il faut absolument que je parle à ton père. Je peux te faire confiance, je le sais. Alors, réponds-moi s'il te plaît : quand crois-tu qu'il pourra venir discuter avec moi ?

Moi, je fais sauter Flora sur mes genoux.

A Boston, à Boston,
Pour acheter un gros quignon,
Au pas, au trot, au galop,
Nous aurons du pain tantôt !

A « tantôt » j'écarte les jambes et je fais semblant de laisser tomber Flora. Elle en devient rouge de rire, mais Fletcher ne dit toujours rien.

— Fletcher ? demande Miss Thompson, l'air étonnée. Fletcher, je te parle.

— Oui, Madame, dit Fletcher sans relever le nez.

Ce n'est sûrement pas la bonne

réponse, parce qu'aussitôt Miss Thompson se met à regarder partout une fois de plus, comme si elle cherchait quelque chose. Puis elle se tourne vers moi et Flora.

— Fran Ellen, elle dit tout à coup, où vas-tu quand tu t'échappes de l'école ?

Elle a un drôle d'air et l'œil qui brille, je crois qu'elle est en train de deviner. Fletcher ne peut rien pour moi, je le vois, alors je me mets à pleurnicher comme Florence :

— Madame, s'il vous plaît... Je vais nulle part en particulier, nulle part. Peut-être à la boutique du coin pour acheter des bonbons, des fois, mais nulle part en particulier. Et je le ferai plus, je vous promets. Plus jamais.

Elle me regarde toujours de son drôle d'air, alors je gémis, comme Florence :

— S'il vous plaît... Le dites pas à mon papa, il me flanquerait une raclée. S'il vous plaît... Parce que je vous promets que je le ferai plus. Je serai sage et je sucerai plus mon pouce, plus jamais. Le dites pas à mon papa.

J'aurais mieux fait de ne pas parler

de lui. Elle allait l'oublier. Maintenant, elle y repense :

— Oui, ton père, justement. Je veux parler à ton père.

Alors je pleure de plus belle :

— Mais pas demain, dites, Madame ? Oh, s'il vous plaît, pas demain !

Miss Thompson se lève.

— Si. Demain. Je tiens à lui parler demain. Fletcher, s'il te plaît. Je ne peux pas faire confiance à Fran Ellen, je le sais, alors voudrais-tu demander à ton père de m'appeler au numéro que voici ?

Elle lui tend un bout de papier.

— S'il vous plaît, Maîtresse, s'il vous plaît ! (Cette fois, je ne pleure plus, je hurle.) Le dites pas à mon papa. Il sera fou de colère. Je vous promets d'être sage. Toujours.

— Non, Fran Ellen. Je suis désolée, mais il faut que je lui parle. Il le faut.

Elle commence à m'expliquer pourquoi, et elle a des tas de raisons compliquées, mais au moins elle ne me regarde plus avec ce drôle d'air de quelqu'un qui est en train de deviner. Et elle finit par s'en aller.

Dès que je suis sûre qu'elle est partie,

et qu'elle ne m'entendra pas depuis le palier, je me tourne vers Fletcher et je lui dis tout ce que je pense de lui. Rien de bon, pour ça non.

Quand j'en ai terminé, c'est à son tour de me crier aux oreilles.

— Ah ? parce que tu crois que c'est mieux, ce que tu lui as raconté ? T'avais besoin de lui dire que Papa l'appellera demain ? Et demain, hein, comment on fera, demain ? Tu sais très bien que Papa l'appellera pas, demain !

— Non, mais il fallait se débarrasser d'elle avant qu'elle devine, t'as pas compris ? Elle allait deviner, et toi tu disais rien.

— Et maintenant, qu'est-ce qu'on fait, demain ?

— J'ai une idée, mais c'est toi qui le feras. Parce que toi, elle te fait confiance. Demain, il faudra que tu l'appelles. Tu lui diras que quelqu'un de la famille est mort. T'auras qu'à dire Grand-père, par exemple, puisqu'il est déjà mort. Comme ça, ce sera même pas vraiment un mensonge. Et tu lui diras que Papa est parti là-bas pour l'enterrement. Tu lui diras qu'il y a quelqu'un pour s'occuper de nous tant qu'il est pas là, invente quelqu'un, dis que c'est tante Marcie. Dis qu'il faudra qu'il reste là-bas un moment, le temps de faire des arrangements, mais qu'il l'appellera dès qu'il sera de retour.

— Non, dit Fletcher.

Mon idée ne lui plaît pas du tout. Il a peur des ennuis et tout.

C'est complètement idiot. D'habitude, pour mentir, il sait faire. Il a déjà menti à tout un tas de grandes personnes, alors je ne vois pas pourquoi Miss Thompson lui ferait peur.

Moi aussi, j'ai peur. Mais pas d'elle. J'ai peur de ce qui pourrait arriver, si elle devine. Parce que, si elle devine, elle le dira à d'autres. Et ils viendront. Ils viendront pour nous placer dans des familles, n'importe où, et ils m'enlèveront Flora.

Fletcher a trop peur pour mentir à Miss Thompson. Mais moi je sais ce qui va lui faire plus peur encore.

— Ecoute, Fletcher, je lui dis. Si tu le fais pas, tu sais ce qui va arriver ? Ils vont venir et emmener Maman.

Fletcher soupire. Bon, d'accord, il le fera.

Le lendemain, je vais avec lui au drugstore. Je m'assois à côté de lui dans la cabine pendant qu'il téléphone. Il ment très mal, on sent que c'est tout faux, mais elle le croit.

Sur le chemin du retour, il me corne aux oreilles que tout est de ma faute. Que c'est moi qui nous ai mis dans ce pétrin.

Mais moi je m'en moque. Je garde Flora.

Juin

Tous les jours ou presque, au début, elle me demande des nouvelles de la maison. Est-ce que notre papa est rentré ? Et Maman, est-ce qu'elle va mieux ? Et tante Marcie, elle est toujours avec nous ?

Alors je lui réponds :

— Non Madame, Papa n'est pas encore de retour. Dans une quinzaine de jours, peut-être. C'est ma grand-mère, sa maman, qui ne va plus très fort maintenant. Alors elle lui demande de rester...

Et aussi :

— Oui Madame, Maman va mieux, un peu. Quelquefois, maintenant, elle reste

99

debout un moment, mais cinq ou six minutes, pas plus.

Et :

— Tante Marcie pense qu'elle restera jusqu'au retour de Papa. Elle s'occupe de Maman et de Flora, et elle nous fait de la tarte.

Au bout de quelque temps, Miss Thompson oublie de demander. Mais il faut que je fasse très attention. Pour commencer, je ne suce plus mon pouce. Quand les autres me bousculent, je leur dis : « Ça va pas, non ? » mais je garde mon bras contre moi, tout raide.

Personne n'a remarqué que je ne suce plus mon pouce. Même Miss Thompson n'a rien vu. Mais moi, j'y pense tout le temps. Mon pouce ne sait plus ou aller. Il est malheureux. Je le tiens dans mon autre main, quelquefois, je le berce, je lui dis de ne pas s'en faire, qu'il nous reste Flora. Mais il est quand même malheureux, et ma bouche aussi, et par moments je me dis que je n'arriverai jamais à les tenir séparés toute ma vie.

Et en plus, les autres me lancent toujours « Hou ! la Suce-pouce » et « Berk » comme si je sentais mauvais.

— Allez, la Suce-pouce, dit Jennifer. Dis que Susan est une andouille. Elle te fera rien, va.

— Mouais, je dis, et je tiens mon pouce serré dans l'autre main pour qu'il oublie.

Jennifer se rapproche en se pinçant le nez.

— Vas-y, Jennifer. Dis-le. Puisqu'elle te fera rien ! Pas vrai, Susan, que tu t'en fiches ?

— Sûr, que je m'en fiche, dit Susan.

A la fin, je dis que Susan est une andouille, et elle me répond d'une bonne claque. Je lui crie : « Ça va pas, non ? » et Jennifer me tape dessus. Mais cette fois, avec ma main libre, celle du pouce, je lui envoie un bon coup sur le nez. Elle se met à hurler, les autres hurlent aussi, et Miss Thompson arrive au petit trot.

Elle me prend par une épaule et me secoue.

— Eh bien ? Non seulement tu insultes Susan, mais encore tu tapes sur Jennifer, maintenant ?

— Je suce plus mon pouce, Madame.

— Tu ne suces plus ton pouce ? (Elle a

l'air de réfléchir.) C'est ma foi vrai. Tu ne le suces plus.

— Je vous l'avais promis, que je le ferai plus.

— Voilà au moins une bonne chose. J'en suis bien contente.

Elle me regarde. On dirait presque qu'elle va sourire. Mais Jennifer mugit de plus belle et Miss Thompson dit :

— Mais ce n'est tout de même pas une raison pour taper sur Jennifer, si ?

— C'est ma main, je lui dis. Elle ne sait pas quoi faire.

J'ai pris des risques, je crois, mais le résultat c'est que Jennifer et Susan ne jouent plus tellement à leur petit jeu. Mais c'est peut-être aussi parce que la maîtresse regarde souvent dans ma direction, bien plus qu'avant en tout cas, alors elles se méfient. Elles me marchent encore sur les pieds et elles me filent des coups dans le ventre, mais elles ont abandonné leur jeu.

Alors, au bout d'une semaine ou deux, Miss Thompson me dit :

— Fran Ellen, je suis contente de toi. Tu as appris à te maîtriser, c'est bien. Tu fais beaucoup plus grande fille, tu sais, sans ce vilain pouce dans ta bouche. Et je suis ravie de voir que tu ne t'en prends plus à Susan et Jennifer comme par le passé. Et tu ne fais plus du tout l'école buissonnière. Vraiment, je crois que tu commences à comprendre combien de bonnes habitudes...

Et ainsi de suite. Le même refrain. Je n'écoute pas, mais je me dis que peut-être elle va oublier cette idée de parler à mon père. Malgré tout, je reste prudente.

Je n'essaie même plus de faire un saut à la maison pendant l'école. Fletcher m'a conseillé d'arrêter. Ce n'est pas que ça me plaise, et à Flora encore moins, mais je sais qu'il a raison. Depuis, c'est lui, et Florence, et Felice, qui s'arrangent pour veiller sur Flora l'après-midi. Mais ils ne s'échappent pas de l'école, eux. Ils font comme je faisais à la fin. Ils n'y vont pas, ils s'inventent des rhumes, des raisons de manquer.

Florence trouve ça très bien, mais pas Felice. Chaque fois que c'est son tour de rester, elle pleurniche. L'autre jour, quand je suis rentrée de l'école, Flora pleurait à en perdre haleine, et sur son petit bras il y avait trois gros pinçons en train de virer au bleu. Depuis, il n'y a plus que Florence et Fletcher qui manquent la classe. Fletcher a raté une composition et il n'a pas pu aller au musée avec sa classe. Ce soir-là, il n'a rien mangé et pourtant c'étaient des raviolis.

— T'inquiète pas, je lui ai dit. Bientôt ce sera les grandes vacances, on n'aura plus de problème.

Tout sera bien plus facile, avec les vacances. Flora sera plus heureuse, aussi, parce que je serai tout le temps là.

En ce moment, elle n'est pas heureuse du tout. Elle se met debout dans son berceau et elle le secoue de toutes ses forces, elle essaie même d'en sortir. Elle ne dort plus autant qu'avant, et elle pleure, maintenant. Il lui arrive même de pleurer alors qu'on est en train de jouer avec elle. Même avec moi, quelquefois. Elle a une espèce de rougeur sur son petit ventre et ses fesses, et on a beau talquer, talquer, ça ne s'en va pas, au contraire. C'est peut-être ça qui la fait pleurer tant.

Fletcher dit qu'il faudrait qu'elle voie un docteur. Il dit que les bébés, en principe, on devrait leur faire toutes sortes de vaccins et de piqûres, et qu'elle n'a rien eu. L'ennui, c'est qu'il faudrait une grande personne pour l'emmener chez le médecin. Un frère ou une sœur, ça ne vaut pas. Fletcher se fait du souci. Il se fait du souci parce que Flora est peut-être en train de tomber malade, et il se fait du souci parce que si on l'emmène voir un docteur, les gens s'apercevront qu'on est tout seuls à la maison.

Moi aussi, je me fais du souci. Tous les matins, maintenant, quand je pars pour l'école, j'entends Flora qui pleure. Je me bouche les oreilles ou je chante très fort, sinon je ne pourrais pas m'en aller. Et Fletcher dit qu'il faut que j'y aille. En plus, quand je suis en classe, il faut que je fasse attention à ne pas avoir l'air de m'en faire. Je me répète : plus que quinze jours et c'est les vacances. Les grandes.

Les grandes vacances. Plus d'école. Plus de Miss Thompson. Oui, mais plus de Maison des Ours.

Il faut que je les prépare à ce qui va se passer.

— *Quoi qu'il arrive, je dis à Boucle d'Or, il faut faire de ton mieux, et persévérer. Si tu veux arriver à quelque chose dans la vie, il faut apprendre à bien t'entendre avec les autres...*

Elle n'écoute pas. Elle me demande :

— Pourquoi, parce que tu ne seras pas là, bientôt ?

Je suis en train de repasser ma robe jaune et rouge dans la cuisine de Maman Ourse. Le fer est en fer pour de bon, noir et lourd. Un fer de l'époque. On ne le branche pas comme ceux d'aujourd'hui ; on le met à chauffer sur le coin du fourneau.

— Hmm, je lui dis. Il se pourrait que je sois obligée de partir en voyage.

— Oh ! non, non ! dit Boucle d'Or, et elle se met à pleurer.

Maman Ourse l'entend et s'approche à grands pas.

— Allons bon, qu'est-ce qui se passe ?

— C'est Fran Ellen qui dit qu'elle ne sera pas avec nous cet été.

Maman Ourse met ses poings sur ses hanches.

— Et pourquoi donc ?

— C'est assez compliqué, j'explique. Il y a ces deux filles de ma classe, vous savez, Jennifer James et Rosalie Gonzales. Rosalie est plutôt frimeuse, mais à part ça elle n'est pas trop détestable, alors que Jennifer...

— Ne me parle pas de cette Jennifer, je

la déteste, dit Maman Ourse. D'abord,
pourquoi ne pas continuer comme
avant ?

— Moi je voudrais bien, je lui dis. Seule-
ment, je ne crois pas que ce soit possible.
Et je ne vois pas ce que je pourrais faire
pour empêcher...

— Eh bien, tâche de trouver, dit Maman
Ourse. Parce que je ne supporterai pas
que tu t'en ailles, et je ne supporterai
pas qu'on nous emmène loin de toi —
ça, jamais !

De sa grosse voix, elle appelle Papa
Ours, et lui aussi fait tout un cirque et
dit qu'il ne le supportera pas. Bébé Ours
pleure et trépigne, il fait encore plus de
bruit qu'eux.

Hum, ça ne va pas être facile. Si encore
je pouvais mettre mon pouce dans ma
bouche, peut-être que ça me donnerait
une idée.

Dernier jour de classe. J'accroche ma
veste à la patère, et je fais un crochet
par le fond de la classe pour saluer les
ours au passage.

— Au revoir, je leur dis à tous.

Ils se mettent à crier.

— N'oubliez pas de fermer la porte quand vous sortez, je leur souffle très vite, et je me dépêche de gagner ma place parce que sinon je vais pleurer.

Jennifer a mis une robe d'été, blanche avec de grosses fleurs jaunes. Avec ses chaussures jaunes, elle est vraiment jolie, presque aussi jolie que Flora. J'oublie que c'est Jennifer et je lui dis :
— Dis donc, elle est jolie, ta robe.

Elle se pince le nez.
— Berk.

C'est Rosalie Gonzales qui a le plus d'étoiles en face de son nom pour toutes les matières — lecture, dictée, histoire et géographie, calcul et sciences. Il n'y a vraiment qu'en gym qu'elle n'en a pas plus que tout le monde. C'est peut-être à elle que Miss Thompson va donner la Maison des Ours. Les jumeaux McFarlane disent que c'est forcément Rosalie qui va l'avoir, parce que la maîtresse a dit qu'elle la donnerait à l'élève qui aurait fait le plus d'efforts. Ils grognent que c'est Rosalie qui a fait le plus d'efforts pour avoir de bonnes notes et c'est vrai. Mais c'est Jennifer qui a fait le plus d'efforts pour plaire à la maîtresse. Moi je crois que ce sera Jennifer.

Je me trompe. Les jumeaux McFarlane se trompent. Miss Thompson dit qu'elle a décidé de me donner la Maison des Ours. A moi. Fran Ellen Smith.
— Elle ? s'étrangle Jennifer. Pourquoi elle ? Qu'est-ce qu'elle a fait ?
— C'est la pire de la classe, dit Rosalie. Elle est nulle. Et bête. Et sale.

Tout le monde proteste. Personne n'est content.

Alors la maîtresse explique qu'elle avait dit qu'elle donnerait la Maison des Ours à celui d'entre nous qui aurait fait le plus d'efforts, et qu'à son avis c'est moi qui ai fait le plus d'efforts. Elle dit que j'ai réussi à cesser de me battre, à ne plus sucer mon pouce, à ne plus faire l'école buissonnière, et que pour quelqu'un comme moi ce sont des progrès considérables. Elle dit que nous sommes tous différents, que ce qui est facile pour l'un est parfois très difficile pour l'autre. Que peut-être je n'ai pas été la plus brillante élève de la classe, mais que j'ai fait de mon mieux, que j'ai persévéré, et que c'est ça l'important, les efforts, la volonté...

Elle n'en finit plus. Comme les protestations n'en finissent pas non plus, elle continue d'expliquer. Elle parle, parle, parle, mais moi je n'écoute plus, j'ai autre chose à faire. Dès qu'elle a dit que c'était à moi qu'elle donnait la Maison des Ours, je n'ai pas perdu une seconde, pas même à m'étonner de mon bonheur ou à me pincer pour y croire. J'ai marché droit vers le fond de la classe, pour les préparatifs de départ.

— Tout s'arrange, j'ai dit à Boucle d'Or, et je l'ai fourrée dans ma poche.

— Surtout, ne vous inquiétez pas, j'ai dit à Maman Ourse, et elle a suivi le même chemin.

Seulement, il reste un problème. Comment faire pour emporter mon trésor à la maison ? Les autres vont me sauter dessus et me l'arracher, j'en suis sûre. Pourtant, il va bien falloir que je trouve un moyen !

— Fran Ellen, dit Miss Thompson, que fais-tu donc ?

— Je prépare la Maison des Ours pour l'emporter, Madame.

— Mais ce n'est pas que tu comptes l'emporter toute seule, si ? Tu n'y arriveras pas, tu sais. Qui voudra aider Fran Ellen à transporter chez elle la Maison des Ours ?

Personne, bien sûr. Ils en profitent pour grogner de plus belle.

— C'est pas juste.

— Pas cette Suce-pouce, quand même !

— Y a de l'abus.

— C'est dégoûtant.

— Fran Ellen, dit Miss Thompson. Je vais t'aider à emporter chez toi la Maison des Ours.

Au moment du départ, je reçois un coup de pied par-ci, un coup de coude par-là. Susan me glisse en douce qu'elle m'aura à l'œil, mais je ne vois pas comment ni où. Je serai chez moi tout l'été.

La maîtresse met le tout dans sa voiture et elle me conduit jusqu'à la maison, au coin de la rue. Elle m'aide à monter au troisième la Maison des Ours, ses meubles, ses habitants. Je lui ai dit que ce n'était pas la peine, mais elle a insisté.

Sur le palier, je lui dis : « Merci Madame », mais elle dit qu'elle va m'aider à emporter le tout à l'intérieur. C'est Fletcher qui ouvre la porte. Il a Flora dans les bras, une pauvre Flora qui a des plaques rouges jusque sur son petit visage, maintenant.

— Ah ! Bonjour, Fletcher, dit Miss Thompson. Déjà de retour du collège, aujourd'hui ?

— Oui, Madame, dit Fletcher.

— Oh ! mais qu'est-ce qu'elle a, pauvre petit cœur ? s'écrie Miss Thompson. Qu'est-ce qui lui arrive, à ce poupon ? C'est de l'urticaire ou quoi ?

— C'est la chaleur, je lui dis. Et merci beaucoup, Madame. C'est gentil de m'avoir aidée à porter la Maison des Ours.

— Excusez-moi, s'il vous plaît, dit Fletcher.

Il emporte Flora dans la chambre, et ferme la porte. Je voudrais bien que Miss Thompson s'en aille, moi, maintenant. Je répète :

— Merci beaucoup, Miss Thompson. Et merci de m'avoir donné la Maison des Ours.

Flora se met à hurler. On l'entend bien, malgré la porte fermée.

— Fran Ellen, demande Miss Thompson, ton père n'est toujours pas de retour ?

— Non Madame, mais nous avons reçu une lettre de lui, et il nous dit que la semaine prochaine...

— Fran Ellen, dit Miss Thompson (et elle a son drôle d'air, son air d'avoir tout deviné), où est ta tante Marcie ?

— Partie faire des courses, Madame.

Miss Thompson s'assoit.

— Je vais l'attendre ici.

— Oh, mais elle sera partie toute la journée, vous savez. Elle avait dit qu'elle irait en ville, je ne pense pas qu'elle rentre avant ce soir très tard.

Cette fois, Flora fait une crise, une vraie. On entend Fletcher qui va et vient à travers la pièce.

Miss Thompson se lève, marche droit vers la porte. Je ne sais pas que faire d'autre, alors je lui cours après. Je l'attrape par le bras, je la tire en arrière en disant :

— S'il vous plaît, Madame, non ! Laissez-nous ! On s'en sort très bien tous seuls !

— Non, Fran Ellen, dit la maîtresse. Vous ne pouvez pas vous en sortir seuls. Vous n'êtes que des enfants, vous avez besoin de quelqu'un pour veiller sur vous.

Elle détache ma main de son bras, elle me tapote l'épaule et me regarde dans les yeux. Elle murmure :

— Pauvre petite. Par quoi tu as dû passer. Mais ne t'inquiète pas. Je suis là. Je vais m'occuper de tout.

Et elle s'en va sans un mot de plus.

S'occuper de tout ! Je le sais, moi, comment elle va faire. Elle va le dire. A la police. Aux gens de l'Aide sociale. Bientôt, ils vont venir nous chercher. Juste comme l'a dit Fletcher. Nous, ils nous placeront dans des familles. N'importe où. Séparément. Et Maman, ils vont la mettre dans un hôpital de fous.

Je me précipite dans la chambre. Fletcher a remis Flora dans son berceau. Elle hurle à en devenir violette, elle ne veut même pas que je la prenne dans mes bras. J'essaie de lui donner un biberon de sirop, mais elle le jette par-dessus le bord de son berceau.

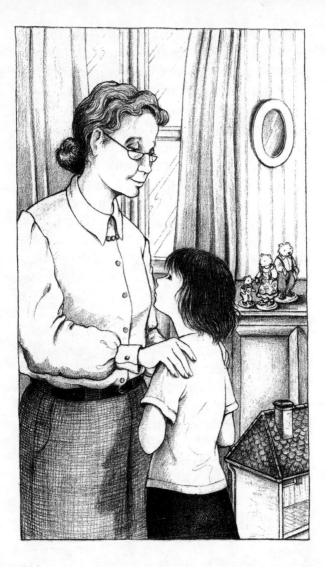

Fletcher sort de la chambre. Je le suis en silence. Flora va finir par s'endormir, peut-être, et ensuite elle ira mieux. Fletcher dit qu'il va faire des courses, qu'il n'y a plus rien à manger dans cette maison. Il ne remarque pas la Maison des Ours, il a même oublié Miss Thompson. Ce n'est pas moi qui vais lui en parler. Il comprendra bien assez tôt.

Enfin Flora se tait. J'entrouvre la porte pour lui jeter un coup d'œil. Elle dort. Et si je rassemblais deux ou trois choses, si je m'échappais avec elle ? Rien qu'elle et moi, rien que nous deux. Je m'avance à pas de loup et je reste là, près de son berceau.

Ma petite sœur, ma jolie Flora.

Sauf qu'elle n'est plus si jolie, maintenant, pas avec cette vilaine rougeur qui la dévore tout entière. Elle en a jusque sur les paupières, et quelque chose de jaune et poisseux colle à ses cils.

Que faire ? Mais que faire ?

Je retourne dans le séjour. La Maison des Ours est là, par terre. Pour la première fois, je suis seule avec eux. Mon pouce me démange horriblement. Peut-être que je pourrais le sucer, maintenant ? Et pourquoi pas ? Parce qu'elle m'a donné la Maison des Ours ? La belle affaire ! Puisqu'elle était à moi, de toute façon, cette maison.

Mais d'abord il faut que je les mette à l'aise. Que je termine leur déménagement.

Je commence à remettre les meubles en place. Une fois qu'ils sont dedans, j'installe les ours et Boucle d'Or dans le séjour. Je place devant la porte le paillasson BIENVENUE. Et j'entre.

Maman Ourse est en train d'embrasser Boucle d'Or.

— Je suis fière de toi, elle lui dit. Vraiment.

Papa Ours embrasse Boucle d'Or à son tour et lui dit :

— Je suis fier de toi aussi.

— Et moi aussi, dit Bébé Ours.

— Tu as tenu promesse, dit Maman Ourse. Tu l'avais dit, que tu ne sucerais plus ton pouce. Et tu ne le suces plus. C'est bien.

— Tu as persévéré, dit Papa Ours.

Boucle d'Or sourit jusqu'aux oreilles.

— Il va falloir fêter ça, annonce Maman Ourse. Je vais faire du poulet, des bei-

gnets et de la tarte. Viens vite, Boucle d'Or. A nos fourneaux.

— Mais ça ne va pas être drôle, dit Bébé Ours. Pas sans Fran Ellen.

Alors je leur dis :

— J'arrive !

Ils ne m'ont pas entendue.

— Elle a dit qu'il fallait qu'elle parte en voyage, dit Boucle d'Or.

Elle ne sourit plus.

— Hé, gros malins ! je leur dis. Je suis là. Vous ne m'entendez donc pas ?

— Je crois qu'elle veut emmener sa petite sœur avec elle, dit Boucle d'Or.

— Laquelle ? Le bébé ? dit Maman Ourse. Sûrement pas. Fran Ellen n'est pas sotte. Elle sait qu'un bébé a besoin de soins. Elle sait qu'un bébé a besoin de quelqu'un près de lui tout le temps, et de bon lait, et d'aliments pour bébés, et d'un médecin pour veiller à sa santé. Sinon, un bébé, ça attrape des rougeurs, des vilaines maladies. Tu crois que Fran Ellen veut la tuer, sa petite sœur ? Alors qu'elle l'aime plus que tout au monde ? Allons, allons, ne dis pas de sottises. Viens, Boucle d'Or. A la cuisine !

Elles vont toutes deux à la cuisine, et

Bébé Ours les suit. Papa Ours s'installe dans le fauteuil à bascule.

Il m'aperçoit soudain, debout sur le pas de la porte.

— Tiens ? Tu es revenue ?

— Je ne suis jamais partie.

— Tu nous as fait peur, tu sais.

Il tend les bras vers moi, grands ouverts.

— Oui mais, Papa Ours, je lui demande, comment est-ce que je peux être sûre que tu ne partiras jamais, toi ? Ni Maman Ourse, ni Bébé Ours, ni même Boucle d'Or ?

— Il n'est pas question de partir, dit Papa Ours. Pas question. C'est ta maison, ici, non ? Tu penses bien, nous y resterons aussi longtemps que tu voudras de nous.

— Promis ?

— Promis.

Alors je monte sur ses genoux, et il chantonne « A Boston, à Boston », et je laisse aller ma tête contre son épaule, et je persévère, je ne suce pas mon pouce.

Table des matières

l'Atelier du Père Castor présente

la collection Castor Poche

La collection Castor Poche vous propose :

- des textes écrits avec passion par des auteurs du monde entier,
  par des écrivains qui aiment la vie,
  qui défendent et respectent les différences;
- des textes où la complicité et la connivence entre l'auteur et vous se nouent et se développent au fil des pages;
- des récits qui vous concernent parce qu'ils mettent en scène des enfants et des adultes dans leurs rapports avec le monde qui les entoure;
- des histoires sincères où, comme dans la réalité, les moments dramatiques côtoient les moments de joie;
- une variété de ton et de style où l'humour, la gravité, la fantaisie, l'émotion, la poésie se passent le relais;
- des illustrations soignées, dessinées par des artistes d'aujourd'hui;
- des livres qui touchent les lecteurs à différents âges et aussi les adultes.

Un texte au dos de chaque couverture vous présente les héros, leur âge, les thèmes abordés dans le récit. Vous pourrez ainsi choisir votre livre selon vos interrogations et vos curiosités du moment.

Au début de chaque ouvrage, l'auteur, le traducteur, l'illustrateur sont présentés. Ils vous invitent à communiquer, à correspondre avec eux.

CASTOR POCHE
Atelier du Père Castor
7, rue Corneille
75006 PARIS

UNE PRODUCTION DU PÈRE CASTOR
FLAMMARION

Bibliothèque de l'Univers
Isaac Asimov

La Bibliothèque de l'Univers :
des photos surprenantes, des dessins suggestifs,
des textes vivants et parfaitement à jour qui nous éclairent
sur le passé, le présent et l'avenir de la recherche spatiale.

«Mon message, c'est que vous vous souveniez toujours que la science, si elle est bien orientée, est capable de résoudre les graves problèmes qui se posent à nous aujourd'hui. Et qu'elle peut aussi bien, si l'on en fait un mauvais usage, anéantir l'humanité. La mission des jeunes, c'est d'acquérir les connaissances qui leur permettront de peser sur l'utilisation qui en est faite.» Isaac Asimov

«Avec cette nouvelle colllection de trente-deux livres, tous les futurs conquérants de la galaxie vont s'installer en orbite autour de la planète lecture ! Isaac Asimov, un grand écrivain de science-fiction, raconte l'aventure des fusées, des satellites et des planètes. (...)
Des livres remplis d'images et de photos, indispensables pour tous les scientifiques en herbe !»

Titres parus :
- Les astéroïdes
- Les comètes ont-elles tué les dinosaures ?
- Fusées, satellites et sondes spatiales
- Guide pour observer le ciel
- La Lune
- Mars, notre mystérieuse voisine
- Notre système solaire
- Notre Voie lactée et les autres galaxies
- Pulsars, quasars et trous noirs
- Saturne et sa parure d'anneaux
- Le Soleil
- Uranus : la planète couchée
- La Terre : notre base de départ
- Y a-t-il de la vie sur les autres planètes ?
- Comment est né l'Univers ?
- Mercure : la planète rapide

A paraître :
- Les objets volants non identifiés
- Les astronomes d'autrefois
- Vie et mort des étoiles
- Jupiter : la géante tachetée
- Science-fiction et faits de science
- Les déchets cosmiques
- Pluton : une planète double
- La colonisation des planètes et des étoiles
- Comètes et météores
- La mythologie et l'Univers
- Vols spatiaux habités
- Neptune : la planète glacée
- Vénus : un mystère bien enveloppé
- Les programmes spatiaux dans le monde
- L'astronomie d'aujourd'hui
- Le génie astronomique

Demandez-les à votre libraire

Cet
ouvrage,
le trois cent
neuvième
de la collection
CASTOR POCHE,
a été achevé d'imprimer
sur les presses de l'imprimerie
Brodard et Taupin
à La Flèche
en octobre
1990

X0203311 4

Dépôt légal : novembre 1990.
N° d'Édition : 16480. Imprimé en France.
ISBN : 2-08-162153-3
ISSN : 1147-3533
Loi n° 49-956 du 16 juillet 1949
sur les publications destinées à la jeunesse.